JN050481

A CREATOR'S GUIDE

—物語を作る人のための—

世界観設定ノート

TO WORLD-BUILDING

監修：榎本 秋
著：鳥居彩音

はじめに
—この本の使い方—

物語創作の醍醐味のひとつに『ここではない世界』を作ることがある。
現実にある法律、科学、歴史、常識、人の在り方などを自由に作り替えたり、新たに創造したりすることができる。評価の有無はあれど、誰にとがめられることもない。
そういったことからか『ここではない世界』を作る＝世界観設定は、多くの創作者が楽しくかつ力を入れてあれやこれやと考えを巡らせている。小説の新人賞には原稿とともに分厚い世界観設定資料集が添付されていた、なんてことも珍しくなかった（レギュレーション違反で落選の可能性が高いので、添付しないことを強く推奨する）。
こう書いていると、世界観設定はやりたい放題なのかと思うかもしれない。自分の胸の中にだけ留めておくならそれでも構わないが、誰かに見てもらう・読んでもらうとなると、そうはいかない。不完全だったりおかしなところがあったりすると、物語全体のクオリティに関わる。結果、「つまらない」「よくわからなかった」「ツッコミどころが多くてイライラした」なんて感想をもらう羽目になってしまうかもしれない。
それでも自分の世界観設定を貫きたいという思いを抱くかもしれないが、せっかく作るのなら良いものにしたくないだろうか。根本のアイデアはそのままに、新しい設定を追加したり、相反する設定を整理したり、思い切って削ったりしてクオリティを上げるのは決して悪いことではないはずだ。
とはいえ、なにを考えていけばいいのか悩むことも多々あるだろう。そこで本書の出番である。

本書は２部構成となっている。
前半はひとつの世界を作るにあたって考えるべき主な要素を解説している。冒頭に挙げた法律や科学をはじめ、現実ではありえない要素についても言及した。少し堅苦しい内容にはなっているが、しっかりとした世界を作るためにもぜひお読みいただきたい。

後半はテンプレートだ。大学ノートやテキストファイルにつらつらと書き綴ってもいいのだが、テンプレートに書き込んでいった方が設定漏れが起こりにくく、整理もしやすい。今回は5つの世界パターンを用意し、各項目の考え方について解説も入れ込んだ。テンプレート部分はコピーをしたり、エクセルなどで作ったりして活用してほしい。もちろん、自分好みにカスタマイズしたテンプレートを作成するのもアリだ。
また、参考として第3章には各種テンプレートに実際に書き込んでみたサンプルも掲載している。どのような意図で制作したのか簡単に解説もしているので、併せてお読みいただければ幸いである。

世界観設定が好きな方も苦手な方も、本書が役に立てばそれほど嬉しいことはない。あなたの創作活動がより良いものになることを願って。

旧約聖書『創世記』に登場する伝説上の塔、バベルの塔。ノアの大洪水の後の想像上の世界を描いている。
ノアの子孫たちが、天まで届く建物を建てようとしたことを神が怒り、同一言語だった彼らの言葉を混乱させ、塔の建設を阻んだという。絵の中に描かれた人物像や建物に、当時の世界観を見ることができる。数々の作家が描いたバベルの塔の中でもブリューゲルが描いたバベルの塔（16世紀）が有名だが、本作は、17世紀の学者、アタナシウス・キルヒャーが記した『バベルの塔』（1679）に掲載されているリヴィウス・クレイルが描いたもの。

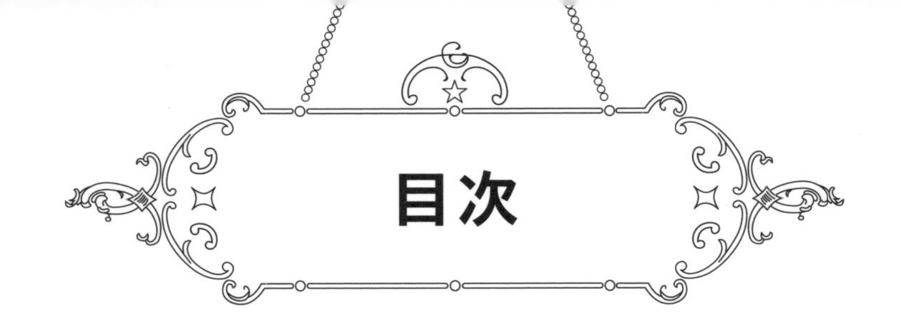

目次

第1章 世界観創作解説

現実の世界を知ろう
―世界はどんな要素で成り立っている？ 006

chapter 1 歴史 008
COLUMN 国生み 009
chapter 2 文化 010
chapter 3 宗教 012
Chart 世界三大宗教 014
chapter 4 国家 015
chapter 5 階級 016
Chart 軍の階級 017
Chart 軍、実戦部隊の組織単位 018
Chart ヨーロッパの爵位 018
Chart 一般企業の序列 018
chapter 6 地形・気候 019
COLUMN 地図を作ってみよう 020
chapter 7 食べ物 021
chapter 8 人口 023
chapter 9 村・町・都市・国、他地域との関係 024
COLUMN 市町村の決め方 025
chapter 10 経済 026
chapter 11 技術の発展 028
COLUMN 交通手段について 031
chapter 12 ファンタジックな存在 032
chapter 13 ファンタジーの種類 034
chapter 14 問題 035
chapter 15 主人公を世界に飛び込ませてみよう 036

第2章 世界観創作ノート

異世界ファンタジー 1-5 038
近未来 1-5 048
COLUMN 疫病の恐ろしさ 050
COLUMN どうして暦が大事なのか？ 056
現代ファンタジー 1-5 058
COLUMN 「ゼロ」と「数字」は当たり前じゃない!? 064
COLUMN 政治・戦争は歴史に学ぼう 066
遠未来 1-5 068
COLUMN 銃はなにが怖い？ 076
学園都市 1-5 078
COLUMN 都市の生まれる場所 086

第3章 創作ノート サンプル

各サンプル解説 090
異世界ファンタジー サンプル 091
近未来 サンプル 096
現代ファンタジー サンプル 101
遠未来 サンプル 106
学園都市 サンプル 111

第1章

世界観創作解説

ひとつの世界を形成するパーツは多岐にわたる。
まずはどんなパーツがあるのかを把握し、
それぞれの在り方を見ていこう。
各項目のさわりを解説しているので、
本書をきっかけにしてさらなる深掘りをしてほしい。

現実の世界を知ろう

物語の中であなただけの世界が作れる。どんな世界にするかは
あなたの自由だが、なにもかもを決めなくてはならない。

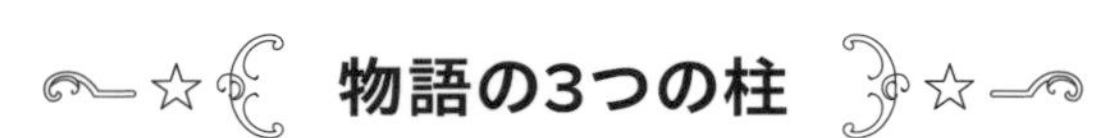

物語の3つの柱

マンガ、ゲーム、小説、アニメなどの物語を作る際、3つの柱が必要になる。キャラクター、ストーリー、そして世界観だ。3つの柱すべてをしっかり考えなければ物語は成立しないのか――というと、実はイエスとは言い難かったりする。なんとなくそれっぽいものを考えておけば物語が作れてしまう柱、それが世界観である。

ぼんやりしているとどうなる

「じゃあ世界観は大雑把に考えておけばいいんだな！」という結論に至るのは尚早である。世界観が重視された物語はいくらでもあるし、そうでなくても、ぼんやりした設定のままで物語を作っていたら「あれ、この世界ではこんなことをしたら法律が許してくれないんじゃないか？」「この地域はどういう移動手段があるんだ？」などといった具合に、ツッコミどころや矛盾が発生してしまうことがある。その都度設定を追加したり変更したりしてもいいが、新たな問題が生じることも少なくない。

どうやって考える？

世界観設定とは、つまるところひとつの世界を作ることだ。こう言われるとワクワクする人も多いかもしれない。同時に、途方に暮れる人もいるだろう。「なにから決めていけばいいんだ」と。どんな土地なのか、季節はあるのか、どんな生き物がいるのか。人間はどのように生活しているのか。貨幣経済なのか、どんな法律があるのか、政治はどうなっているのか、一般市民の経済状況はどうなっているのか。上記はほんの一例であり、これらをさらに掘り下げる必要がある。「物語に関係ないし、登場することもないからやっぱり考えなくてもよくない？」と思うかもしれない。しかし、キャラクターたちはそこで生きている。ストーリーの裏で食事をし、どこかで寝泊まりをし、他の人間と交流し、社会と繋がっている。これらを作中に一切出さないというのは難しい。魔王を倒すために冒険をする勇者は霞を食って生きる仙人ではないのだから。
話を元に戻そう。ゼロから有を生み出すのは確かに難しいし大変だ。それなら、すでにあるものを参考にすればいい。つまり、現実世界を土台にするのだ。

現実世界を知ろう

現実世界はこれまで多くの国・人によってさまざまな歴史が紡がれ、その中でいくつもの制度などが生まれてきた。これらを組み合わせたりアレンジしたりすることによって、自分の世界にしてみる。これなら少しは世界を作るハードルが下がらないだろうか？ とはいえ、そうなると世界のいろいろなことを知っていかなければならない。そこで、本書の序盤では自分の世界を作る上で基礎的な要素と知識を紹介する。これらをとっかかりにして自分でも調べてみてほしい。

世界はどんな要素で成り立っている？

1 歴史

P.008

世界は、国は、町は、どのようにしてできたのか。そして、人の手によってどのように発展し、今に至るのか。

2 文化

P.010

大衆によって生み出され、歴史とともに姿を変えていく。その世界を色づかせる存在。

3 宗教

P.012

人々は神を信じ、神の教えに沿って日々の生活を送る。そうすれば救われ、辛いことも乗り越えられる。

4 国家

P.015

人が集まり大衆となった時、国という形でまとめなければならない。誰が上に立つのか、国民は自由に暮らせるのか。

5 階級

P.016

人は平等ではなかった。上に立つ者は時に権力を意のままに振るい、下の者はそれに怯えて従うしかない時代があった。

6 地形・気候

P.019

地球にはさまざまな地域がある。地域の特徴を担う一端である地形と気候。
人々はどんな空の下を歩いているのか。

7 食べ物

P.021

物語を彩る料理。どんな料理も人々のひらめき、アイデア、工夫があって生まれる。

8 人口

P.023

人が多ければ多いほど世界は発展する。ただし一定のバランスも必要となる。

9 村・町・都市・国、他地域との関係

P.024

キャラクターの世界はひとつの地域だけでは収まらない。その先に広がる世界も創造しよう。

10 経済

P.026

私たちの生活に当然のように存在するお金。これがない世界はなかなか構築しにくい。キャラクターのお財布事情は？

11 技術の発展

P.028

知能のある人間は知恵を使い、自らの手で少しずつ生活を楽に、豊かにしていった。それは現在進行形で続いている。

12 ファンタジックな存在

P.032

創造の世界なのだから、「ありえない」ものがあってもなにも問題ない。あなただけの不思議な世界を作ってみよう。

chapter 1

歴史

世界は、国は、町は、どのようにしてできたのか。
そして、人の手によってどのように発展し、今に至るのか。

世界観の矛盾に注意

ここからは具体的に世界はどんな要素で成り立っているか、その要素についてなにを考えていけばいいかについて解説していく。要素をどう設定するかによってキャラクターたちの行動や考え方が変わってくる。はじめはなんとなく「こんな感じかな」と曖昧なものでも構わない。要素を詰めていくうちに「○○はこういう設定なんだから、□□はこうでないとおかしくなるな」となってくる。基本的に世界観はあなたが自由に決めていいものなので、矛盾が生まれないようにだけ気を付けよう。

神話によって起こる国

国や地域に必ずあるはずのもの、まずは歴史だ。先人たちが積み上げてきたものによってその地は成り立ってきた。それは前進（発展）かもしれないし、後退（衰退）かもしれない。どちらにせよ、歴史として地層のように重なってきたものだ。

国ができるまでのプロセスとして、神話と人為的なものがある。神話は人々が語り継いできた神々の物語だ。たとえば日本では「国生み」という物語がある。

神話は日本神話の他にもギリシャ神話や北欧神話、インド神話などがあり、それぞれが物語としてとても興味深いものになっている。物語のパターンは神話で語りつくされていると言われるほどだ。

作りたいと思う世界をファンタジックなものにしたいならぜひ各国の神話を読んでみてほしい。国の成り立ちに限らず、ファンタジックなエピソードを作りたい時にも役に立つはずだ。

人々が起こす国

さて、次は歴史の教科書にも載るであろう、人々によって起こされる国について見ていく。日本はどのようにして国になったか覚えているだろうか。

後に日本と言われる地域は中国から「倭」と呼ばれており、そこにはたくさんの国があった。それが後に卑弥呼を女王とする邪馬台国となり、その後一度形を変えて大和朝廷に。聖徳太子（厩戸王）の活躍などにより中央集権国家としての形を整えていき、壬申の乱で勝利した天武天皇によって日本書紀が編纂されることになり、今に続く日本の仕組みが確立していった……といった具合である。

他の国も見てみよう。イギリスの植民地であったアメリカはイギリスの支配に反発して、独立を画策。フランス、スペインの援助を受けて、独立戦争を勝ち抜き独立した。

アメリカを植民地にしていたイギリスは4つの地域をもとに作られた国である。サッカーやラグビーでの世界大会ではイギリスとしてではなく、イングランドなどとして出場しているのはそのためである。

歴史が違うとなにが変わる？

最後に、歴史が違うとキャラクターにどんな変化があるかを考えてみよう。

まず、違う歴史を歩んできたのだから国の発展の歩みが違う（歴史だけではなく、その国の資源や地形などによっても変わってくるのだが）。歴代のリーダーたちがどのように舵取りをしてきたかで、住み心地が決まってくるのだ。

次に、「国民感情」。過去、どこかの国と戦争をしたとする。勝ったとしても負けたとしても、相手の国に対しては他の国とは違う思いを持つことになるだろう。それは時間経過によっても異なる。実際に戦争に参加した国民ならより思いは強くなるだろうし、何百年も経っていたら「教科書で読んだから知ってはいるけれど、ピンとこないな」と考える国民も出てくるだろう。

前者と後者では同じ国の民でも考え方は随分と違ってくる。俗に言うジェネレーションギャップというものだ。これはそのキャラクターたちが紡いできた歴史の違いによって生まれる。

国生み

天に現れた神々は、総意で二柱の神に「この漂っている国土をあるべきすがたに整え固めよ」と命じた。このとき選ばれたのが男の伊耶那岐命・女の伊耶那美命である。二柱は神々から授けられた天の沼矛を持って天の浮橋の上に立ち、海をかき混ぜてから矛を引き上げた。するとその先からしたたる潮が積り、淤能碁呂島（オノゴロシマ）となった。これが日本国土初の島ということになる。

国生みはこれで終わりではない。二柱の神はその島に降り、天の御柱と八尋殿（やひろどの）を作り結婚した。それから二柱が夫婦として交わることで

- 淡道之穂之狭別島（あはぢのほのさわけのしま）（淡路島）
- 伊予之二名島（いよのふたなのしま）（四国）
- 隠伎之三子島（おきのみつごのしま）（隠岐島）
- 筑紫島（九州）
- 伊岐島、
- 津島（対馬）
- 佐度島
- 大倭豊秋津島（おほやまととよあきづしま）（本州）

と順番に生まれた。二柱がこの八つの島をまず生んだことによって、この国のいくつもある名前のひとつが「大八島国（おおやしまぐに）」になったのであり、国生みという大事業もひと段落したのである。

chapter 2

文化

大衆によって生み出され、歴史とともに姿を変えていく。世界を色づかせる存在。

文化とはなにか

まずは文化の定義を改めて確認してみよう。
デジタル大辞泉を引くと
① 人間の生活様式の全体。人類がみずからの手で築き上げてきた有形・無形の成果の総体。それぞれの民族・地域・社会に固有の文化があり、学習によって伝習されるとともに、相互の交流によって発展してきた。カルチュア。「日本の―」「東西の―の交流」
② ①のうち、特に、哲学・芸術・科学・宗教などの精神的活動、およびその所産。物質的所産は文明とよび、文化と区別される。
と出てくる（もうひとつ項目があるが、本項とは少しズレる内容なので割愛する）。
ちょっと難しく書かれているので噛み砕くと、そこに住む人々が受け継いできた慣習とでも言えばいいだろうか。

他国の文化を知ろう

日本だけでなく他の国の文化も見てみよう。
日本に多大な影響を与えた中国。私たちが当たり前のように使っている漢字は中国から伝わったものであり、他にもさまざまな知識や物が伝来してきた。
とはいえ、今の日本と中国は同じような国かと言えばそんなことはない。中国の文化を取り入れつつ、日本独自の文化を築いてきたからだ。しかし、中国からの伝来が一切なければ日本はまったく違う国になっていたかもしれない。
話が逸れたので元に戻そう。私たちが抱く中国のイメージはどんなものだろうか。
「パンダ」「チャイナドレス」「カンフー」あたりがパッと出てくるだろうか。
パンダは中国四川省の中部・北部、甘粛省（かんしゅくしょう）

の南端の地域に生息。その愛らしい姿から日本でも動物園では大人気の動物だ。
チャイナドレスは中国では旗袍（チーパオ）と呼ばれており、元は満州族（中国東北地方に住む民族）の女性の服装だった。
カンフーは中国式の拳法で、日本でいうところの空手に近いものである。
考えてみればわかることかとは思うが、現代において中国人女性はチャイナドレスを日常的に着用しているわけではない。それでも私たちは中国を連想する時、多くの人がチャイナドレスを思い起こすだろう。中国人がどう思うかはともあれ、チャイナドレスは中国の文化のひとつなのである。
このように、国を作る際はなにかシンボルになるようなものを設定すると個性が現れるだろう。それは物でも人でもいい。

「無形」の文化もある

これまでは冒頭の辞書の定義にあるところの「有形」の文化について見てきた。それでは、「無形」の文化とはどのようなものだろうか。
日本人の価値観のひとつに「わびさび」がある。「わびさび」と辞書を引いてみても出てこず、「侘」「寂」と別々に調べることで意味を知ることができる。辞書を引いてみると
侘は
茶道・俳諧などでいう閑寂な風趣。簡素の中にある落ち着いたさびしい感じ。
寂は
古びて枯れたあじわいのあること。閑寂な趣のあること。地味で趣のあること。淋しみ。静寂味。
と出てくる（ともに『日本国語大辞典』より一部抜粋）。「わびさび」と聞いてなんとなく「こんな感じ」といったイメージはあったかもしれないが、正確な意味を知っている人はあまりいないかもしれない。侘・寂双方の意味を簡単にまとめると、シンプルで落ち着いていることに趣がある、といったところだろうか。
この「わびさび」、日本人にとっては馴染みのあるものでも、外国人からすれば日本独特の価値観となる。これは日本の文化だからだ。
無形の文化とは、このように価値観や考え方、常識のことを指す。国民性や風習と言い換えてもいいかもしれない。他国にもこのような国民全体が「普段は意識していないが、根本的に持っている」価値観があるだろう。
海外旅行をしたことがあるなら、考え方の違いに驚いた経験があるかもしれない。
アメリカではチップを支払うのが常識なのは日本人の間でもよく知られたことではあるが、チップを支払うことを前提にした会計方法などはなかなか新鮮に映るだろう。

地域の文化を考える

文化は国単位だけではなく地域ごとにも存在する。決して広いとは言えない日本でさえ、各地方にそれぞれの風習がある。お正月の過ごし方や結婚式の挙げ方（祝儀を渡すパターンと会費を払うパターンがあったりもする）、食材の調理法など、多岐にわたる。
世界を作る際、こういった文化をひとつでも作っておくとその世界に個性が生まれる。その地で育っていないキャラクターを登場させることで特徴を出しやすくなるだろう。

chapter 3

宗教

人々は神を信じ、神の教えに沿って日々の生活を送る。
そうすれば救われ、辛いことも乗り越えられる。

信じるもので変わる生活

宗教によるキャラクターへの影響は文化と似ており、価値観や考え方が変わってくる。それが文化よりも絶対的なものになる。信じるものとの約束事のようなものだからだ。

日本人はあまり宗教にこだわらない国民性とよく言われる。12月下旬はクリスマスを過ごし、年を越したら初詣に行く人々が大半。当然かと思うかもしれないが、突き詰めると少々ツッコミどころのある行動だろう。

クリスマスはイエス・キリストの生誕を祝う日。初詣は寺社にお参りをすること。もちろん寺社にイエス・キリストはおらず、いるのは仏と別の神である。

といったように、それぞれ違う神や仏に対する行動になる。

とはいえ、日本ではクリスマスはイベントとして見られ、本当にイエスの生誕を祝う人々は限られている。初詣も神や仏にお参りをしている意識はありつつも、その神仏がどんな存在なのかはよく知らないでいる人も少なくない。○○のご利益がある神様、くらいの認識だったりする。

信じているもの、縋っているものを強く意識しているとは到底思えない。神々には敬意を払いつつもライトな気持ちを持っており、そしてそれが許されるお国柄でもあるのだ。

これは日本が元々ひとりの神を信じるのではなく、八百万の神を信仰する国だからだ。八百万とは「数が多い」という意味である。神社に祀られている神だけでなく、身近なものにも神がいると考えられてきた。山や川、自然現象、長く大切に使われた物品には付喪神が生まれるとも言われる。

このように、神は身近な存在であり、生活に寄り添っている。熱心な信者からすれば罰当たりかもしれないが、各人なりに神への思いを持っていることだろう。もちろん無神論者もいるし、それを否定されることのない国が日本である。

信仰に厳格な国の さまざまな習慣を知ろう

宗教に対して寛容な日本とは異なり、信仰に厳格な宗教について見てみよう。
有名なところではイスラム教がある。イスラム教は仏教とキリスト教に並び世界三大宗教と呼ばれ、世界的に広く信じられている宗教だ。
イスラム教ではアッラーを全能の神として信じ、いくつかの義務がある。礼拝や断食といったものだ。どちらも生活に大きく影響する義務である。
断食と聞くとギョッとするかもしれないが、礼拝も私たち日本人の多くにとっては新鮮なものに見えるかもしれない。キリスト教もそうだが、定期的に神への祈りを捧げている。よって、そのために時間を作る必要があるのだ。信者にとっては時間を作るという意識ではなく、自然に染みついている習慣なのだろう。

時代によって 変わる宗教

日本も昔は神を信じている人が多かったと思われる。自然災害が起これば「山の神様がお怒りだ」と怯えたり、その時代の科学で証明できない現象が起きれば「神による奇跡だ」と驚いた。すごいことが起きれば良いことであれ悪いことであれ、「神の手」によるものだとされたのである。
今は大抵のことが科学で証明・説明できるようになったので、原因に神を引っ張り出す必要が少なくなった。このことが今の日本の宗教観を形成した一因とも言えるのではないだろうか。
逆に言えば、江戸時代や中世ヨーロッパなど、まだ科学が発展していない時代の世界を作りたい場合、神を信じている人々の割合が現代よりも多いと考えるべきかもしれない。特に、今と違って病気で人が簡単に死んでしまう時代だ。神に縋りたいと思う人も少なくないだろう。
はっきりとした宗教までは作るつもりはなくても、人々の価値観の中に神の存在が濃く反映されている、ということは意識してもいいかもしれない。神は存在しない・信じないとするのならそれなりの理由を作るべきだろう。

物語の中でなら オリジナルの宗教も 作れる

そもそも、宗教はどれくらいの数があるのだろうか。この問いへの解答は難しい。世界的に知られた宗教から、一個人が教祖となり始まった小さな宗教まであるからだ。仏教も一枚岩というわけではなく、いろいろと派生した宗派がある。
よって、あなたが作る世界にオリジナルの宗教を登場させてもなんら問題はない。国民の多くが信仰している宗教にしてもいいし、その地域だけで密かに信仰される密教を作るのもアリだろう。その際、現存する宗教を貶めたりしないようにすることだけは注意したい。

世界三大宗教

仏教 	6世紀中盤に日本に伝わってきた。生きることは苦なので、その苦から抜け出し自由の境地へ達する方法を説く。創始したのはインドのゴータマ＝シッダールタ（ブッダなどとも呼ばれる）。彼が悟りをひらいて釈迦牟尼仏になり、教えを説いた。四苦八苦という四字熟語はブッダの教えが元。基本的な四苦（生きる、老いる、病む、死ぬ）と、愛する者と別れる「愛別離苦」、怨む者と出会う「怨憎会苦」、求めても得ることができない「求不得苦」、心身が苦しい「五陰盛苦」が合わさって八苦となる。
キリスト教	イエス・キリストの教えを信じる宗教。聖書が経典であり、旧約と新約がある。 旧約聖書は紀元前、約1000年かけて書かれた文献。ユダヤ教の聖典でもある。新約聖書にはイエスの一生と言行、弟子たちの布教活動などが書かれている。 教えの基本は「愛（アガペー）」であり、イエスの言行録である福音書には「心を尽くし、精神を尽くし、思いを尽くしてあなたの神を愛せよ。自分を愛するようにあなたの隣人を愛せよ」と記されている。
イスラム教 	マホメットがアラビア半島メッカの洞窟で唯一神アッラーの啓示を受けたことが発祥。その啓示を集めたコーランを教典としている。信者のことはムスリムという。 アッラー、天使、啓典、預言者、来世、予定（人間及び世界の行いは神によってすべて決まっているということ）の存在を信じ（六信）、信仰告白・礼拝・断食・救貧税（貧しい者たちに使われるための税）、メッカ巡礼を義務としている（五行）。偶像崇拝はNGで、神の姿を描いたり像を作ったりしてはいけない。

chapter 4

国家

人が集まり大衆となった時、国という形でまとめなければならない。誰が上に立つのか、国民は自由に暮らせるのか。

日本人は誰にも支配されることなく生きている。とはいっても、ほんの150年前までは江戸幕府という政権が国の上に立っていた。ちなみに天皇は国と国民の象徴という位置づけである。

では、あなたの作る世界はどうだろうか。よくファンタジー世界には王様がつきものだが、そうなると現代日本とは違う国の形になる。国家にはどのようなスタイルがあるのだろうか。

日本は？ アメリカは？「国」の制度を考えよう

国家とひと口に言ってもたくさんの種類があり、簡単に分けると「君主制」と「民主制」の2つになる。皇帝や国王などの絶対権力者が支配する君主制と、主権在民――すなわち民の多数意見により国が運営されるスタイルだ。

実際には君主制でも絶対権力がなかったり、「貴族制」といって特権階級である貴族が国を運営していたりもする。ほかにも、「立憲君主制」といって、憲法によって君主の行動が民主的に制限が加えられているパターンもある。

また、民主制だが、実際は一部の資本家が事実上の君主や貴族になって、富によって支配している、なんてケースも存在する。

民主制は「三権分立」といって、法律を作る【立法】、法律をもとに国を運用する【行政】、法律をもとに裁判をする【司法】に分かれていることが多い。相互に監視することによって、独裁的な制度とならないためだ。君主制や貴族制だと、彼らの恣意によって三権も運用されてしまう可能性が否定できない。さらに税金の問題もあり、一方的に税金を公平負担でないようにされてしまったりもする。あなたの作る世界にはどのスタイルが合うか考えてみよう。

○国家の例

●日本：民主主義

象徴天皇制であり、天皇は実権は持たない。議会から選ばれる内閣総理大臣が行政を行い、最高裁判事は内閣が任命するが、国民が信任投票を行う。

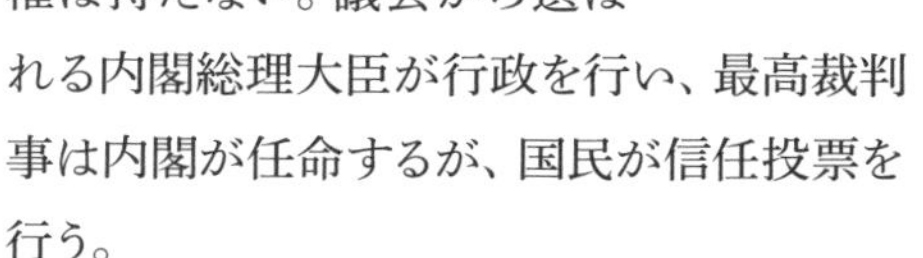

●アメリカ合衆国：民主主義

大統領が国家元首。国民の間接選挙で選ばれ、二院制の議会がそれを監視する。

chapter 5

階級

人は平等ではなかった。上に立つ者は時に権力を意のままに振るい、下の者はそれに怯えて従うしかない時代があった。

貴族か平民か

江戸時代まで日本には身分制度があった。武士が一番偉く、その下に農民や商人がいた（お金を最も持っていたのは商人だったりするのだが）。日本だけでなく世界各国に身分制度は存在した。想像しやすいのは王族や貴族で、それぞれの身分を考える時にわかりやすい分け方が

王族　貴族　平民　非定住民　奴隷

である。

平民は国民の大半を占める一般人。

君主制の場合、この平民が税負担に苦しむことになる。

非定住民とは文字通り定住地を持たない民のこと。どこかの国や都市に所属していることもあるが、まったくの自由民・放浪民の場合もある。

奴隷は代々奴隷階級で、そこから抜け出すのは難しい。また、戦争や経済活動の結果として奴隷身分になることもある。

これらの身分以外に宗教関係者がいる。国家の仕組みによっては貴族と近い扱いを受けたり、特権を得たりすることも。信仰者であるはずの神父が特権を利用し、悪事に手を染めるといったこともよくある。

身分からの脱出

平民から王族、貴族になることはほぼ無理である。逆に、王族・貴族が平民と結婚するとその身分を失うこともあった。身分差のある恋は恋愛物語の鉄板だが、現実的なことを考えると想像以上に苦難の道なのである。それまで保障された贅沢な暮らしができなくなるのだから。

平民がその身分から抜け出したい時の手段のひとつが、軍事貴族（騎士）だ。日本でいう武士である。

戦乱の時代などで手柄によって出世し、その結果として貴族の身分を認められることがあった。ちなみに日本の農民も武士の家に養子に入れば武士の身分を名乗ることができた。とは言っても武家が養子をとるのは跡継ぎがいない時くらいだが。

貴族は、王家が途絶えたり、王家が信望を失った時に王位を継いだ例がある。また、味方とともに独立して新しい王国を立ち上げることもあった。

軍の階級

軍の階級は大きく元帥、士官、准士官、下士官、兵に分けることができる。またここでは便宜的に、各クラスを大・中・小で表したが、一等・二等などと表されることもある。各階級の呼び方はいろいろあるが、今回は第２次世界大戦時の日本軍を参考に各フィクションなども考慮して便宜的にまとめた。将官クラスに上級大将や代将などがあったり、准将、准佐がない場合などもある。

階級（上から順に高い）	階級種別	階級の説明
大元帥 **元帥**	**元帥**	戦時中などで大将が多くいるとその統率者として置かれるパターンや、大将の引退後の名誉号になることがある。大元帥は国家元首がかねる場合がある。
○将官クラス **（各部署やグループの指揮官）** **大将** **中将** **少将** **准将**	**士官**	軍隊のエリート。軍の専門学校や軍の大学を出たものが幹部もしくは幹部候補生として任務に当たる。
○佐官クラス **（中規模グループの指揮官）** **大佐** **中佐** **少佐** **准佐**		
○尉官クラス **（小規模グループの指揮官）** **大尉** **中尉** **少尉**		
准尉	**准士官**	兵より出世したものが士官に準じて遇される。
曹長 **軍曹** **伍長**	**下士官**	士官を補佐するとともに、極小規模のグループの指揮官を務めることもある。
兵長 **一等兵** **二等兵**	**兵**	一般兵

軍、実戦部隊の組織単位

陸軍でよくある軍の単位をわかりやすくまとめてみた。
実際はもっと細分化されていたり時代と地域によって定義が違うので目安として参照してほしい。

軍団	複数の師団を指揮下に置く。
師団	複数の旅団、連隊を指揮下に置く。
旅団	複数の連隊や大隊を指揮下に置く。
連隊	複数の大隊もしくは中隊を指揮下に置く。大隊と中隊が同時に所属している場合もある。
大隊	複数の中隊を指揮下に置く。
中隊	複数の小隊を指揮下に置く。
小隊	基本的に実戦部隊の最小単位。ここからさらに分隊や班に分かれていることも。

ヨーロッパの爵位

ヨーロッパ貴族の爵位一覧。横文字は基本的に英語での呼び名。日本にも公侯伯子男の爵位があったが、
明治時代に中国の爵位名を西洋のそれにあてはめたもので、性質が異なる。

公爵	デューク。普通、貴族の最上位。「大公」となると王族の爵位や小国の君主の称号になる。
辺境伯	マルクグラーフ（ドイツ語）。辺境における全権を与えられた貴族。
侯爵	マーキス。辺境伯がルーツの爵位とされる。
伯爵	アール、カウント。中世前期ヨーロッパにあったフランク王国の役人にさかのぼる。
子爵	バイカウント。伯爵の子弟がこう呼ばれることも。
男爵	バロン。五段階の爵位の最下位。

一般企業の序列

現代日本における一般企業でよく見られる役職を序列で並べた。

CEO・COO CTO	順に最高経営責任者、最高執行責任者、最高技術責任者の略。 以下の序列とは別に存在し、会長兼CEOなど兼任することが多い。
会長	一般に名誉職。社長が退任して就くことが多い。
代表取締役社長	会社を代表する代表取締役の中で、会社のトップに立ち、責任を取る役職。
副社長	取締役（代表権を持たないケースもある。以下同じ）。社長の次に社内序列が高い。
専務・常務	取締役。一般に専務の方が社内序列が高い。副社長がいない会社では専務が代表権を持っていることもある。常務は取締役の中の上位に位置する。
部長・課長・係長	「部」「課」「係」のトップ。左から順に責任範囲が広い。
主任	小規模なグループ、チームのリーダー。
一般社員	平社員などという言い方も。肩書きのない社員。

chapter 6

地形・気候

地球にはさまざまな地域がある。地域の特徴を担う一端である地形と気候。人々はどんな空の下を歩いているのか。

キャラが住むのは海？ 山？

みなさんはどんな土地にお住まいだろうか。平野部、山の近く、海辺、埋め立て地、やたらめったら坂が多いなど、この世界には多様な地形がある。
キャラクターたちが住んでいる土地について、なんとなくは考えている人も少なくないかもしれない。海か山が近くにあるかどうかくらいは決めやすい。ストーリーによっては近くに必要な場合すらある。
では、海と山ではまったく同じ暮らしができるだろうか。現代は電化製品や家屋がしっかりしているのでさほど差はないものの、山には山なりの、海には海なりの暮らし方や悩みや問題があるだろう。中世の時代ならその影響をまともに受けることになるので、さらに対策が必要かもしれない。

気候から土地をイメージする

土地柄によって大きく変化するのは気候だ。気温、湿度、日照、風の強弱、降水量。北国であれば寒いし、南国は暖かい。山脈の有無や海流によっても変化する。
地形も気候も自然現象によるものなので、「ありえない」土地というのはないと思ってよい。ただ、一般的な地形や気候のおおまかな方向性を把握しておけば土地のイメージ作りがしやすくなるだろう。赤道付近の土地は高温多湿の熱帯多雨気候で、熱帯雨林があるといった具合だ。
ちなみに日本は北海道や沖縄を除き温帯気候（冬は寒く夏は暑い）である。西ヨーロッパや南アメリカの一部なども同じ分布となっている。

地図を作ってみよう

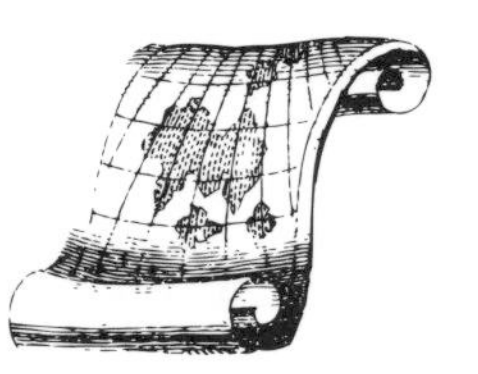

オリジナルの舞台を創作する際に作っておくと便利なのが地図だ。これは国でも町でも同じことが言える。
その舞台の中でキャラクターたちが登場するスポットがいくつかあるはず。現代の高校生が主人公なら、自宅、高校、アルバイト先、よく遊びに行くところなどといったものが挙がる。これらのスポットの位置関係を予め決めておくために簡易の地図を作るのだ。精密なものではなく大雑把で構わない。
地図を作ることによって、各スポット間の移動時間を明確に決めることができる。これをあやふやなままにしておくと、ストーリーが進むにつれて移動時間に矛盾が生まれたりすることがあるのだ。その時々で決めてしまうとさらにその可能性は高くなる。
自宅から高校までは○○（交通手段）で何分、自宅からアルバイト先までは何分、高校からアルバイト先までは何分といった具合に設定してみよう。交通手段は主人公がメインで使うものでOK。文字情報だけでもいいが、地図にした方が可視化してイメージがしやすくなる。

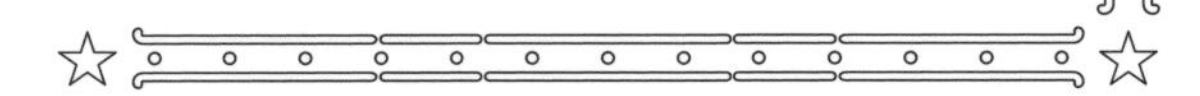

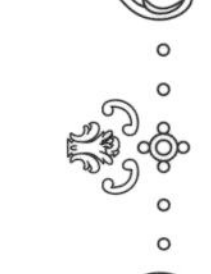

寒い国、暑い国で変わるファッションと食

気候や地形は、ストーリーに密接に関わらない限りは事細かに決める必要はない。ただ、決めておかないと定まらないことがいくつかある。
ひとつは服装。寒い土地と暖かい土地では着るものが違うのは当然のこと。突き詰めれば使っている素材にも差異が出てくるだろう。具体的になんの素材かまでは設定しなくてもいいが、風通しがいい、重量、色味あたりはある程度考えておいた方がキャラクターの仕草の違いに繋がる。
もうひとつは食料だ。気候や土地によって生育の向き不向きがあり、これは各国の主食を見てみるとわかりやすいだろう。日本は米が主食だが、ヨーロッパではパンなどになる。ジャガイモが主食なんて国もあるのだ。
自国で生産ができないなら、輸入はできないのかも考えておきたい。海がない土地で魚を食べたい場合はどうするか。保存法と交通機関がどこまで発達しているかにもよるが、他の地域から買い付けて食べることはできるだろう。ただ、その場合は他の食べ物よりも料金が高く、贅沢品扱いされるかもしれない。
物語においてキャラクターはほぼ必ず衣服を身に着けているし、食事シーンが出てくることも珍しくはない。どんな気候と地形になっているかを最低限でも決めておけば、ちょっとした描写の際にリアリティを出すことができる。考えておいて損はないはずだ。

chapter

7 食べ物

物語を彩る料理。どんな料理も人々のひらめき、アイデア、工夫があって生まれる。

みなさんの好きな食べ物はなんだろうか。現代日本では日本食はもとより、世界中のさまざまな料理をそう難しくなく食べることができる。飲食店で食べてもいいし、材料が調達できるなら自分で作ってみてもいい。インターネットで調べてみればレシピも案外簡単に見つけることができる（もちろん難しいものもあるが）。

しかし、みなさんの好きな食べ物が江戸時代や中世ヨーロッパの時代に食べられていただろうか？　よくよく調べてみると、食べられない料理が多いかもしれない。その原因はいくつかある。

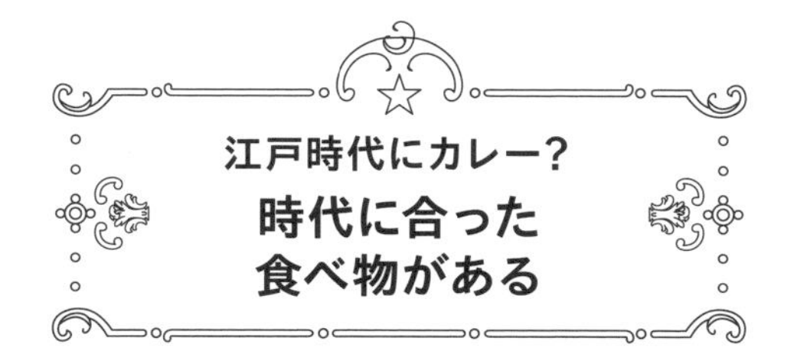

江戸時代にカレー？ 時代に合った食べ物がある

原因のひとつめはその料理自体がまだ生まれていないことにある。

現代日本人にとって身近なメニューのカレー。これを江戸時代の人々が食べているイメージはなかなかつきにくいかと思う。それは正解で、その時代にまだカレーは日本に伝来していない。カレー粉が日本に伝わったのは明治時代に入ってからのことなのだ。

このように、時代的にレシピが生まれていないというパターンが存在する。それは材料に関しても同じ。今では当たり前のようにスーパーに並んでいる白菜だが、中国から伝来したのは1797年ごろと比較的最近である。この時やってきたのは不結球白菜といって、私たちがよく見る白菜とは少し形が違うものだ（下の部分が丸く膨らんでいない）。現在よく見る形の白菜の到来は1866年まで待つことになる。1866年と言えば幕末、思ったよりも歴史が浅い野菜なのだ。意外だろうか？

ヨーロッパに目を向けると、ポトフやマッシュポテトなどの洋風料理に欠かせないジャガイモも、ヨーロッパに伝わったのは16世紀ごろからとなる。16世紀は近世になるので、中世ヨーロッパ風の世界を考えている場合、ジャガイモを登場させると不自然なことになってしまう。

中世に冷蔵庫はない！ではなにを食べる？

自宅の冷蔵庫に1リットルの牛乳パックが常備されており、それを何回かに分けて飲む生活をしている・していた方も少なくないかと思う。冷蔵庫は電源さえ入っていれば中は常に冷温に保たれており、食料を長持ちさせることができる。
が、中世ヨーロッパなどのファンタジー世界に冷蔵庫が存在しているとは考えにくい。仮に「科学技術が著しく発展している世界なんだ！」と考えて冷蔵庫が使われているという設定にしてみよう。……中世ヨーロッパとは雰囲気が合わなくないだろうか？　世界観を壊すような要素はなるべく置きたくはない。
ということで、鮮度が重要な料理においては保存がきかず、食べるのが難しい。持ち運びも現代のように保冷剤など便利なものはなかっただろうし、氷も昔は貴重なものだった。
それでは、昔の人たちはどのようにして食べ物を保存していたのか。ひとつは塩である。腐りやすい食品を塩漬けにすることにより、保存期間を延ばすことができた。日本でも縄文時代から塩漬けの存在が認められている。塩は人間にとってとても重要な食品だ。
ところで、人間は基本的にグルメな生き物である。美味しいものを食べたいという欲求は昔からあっただろう。保存するだけなら塩でもいいのだが、人間はさらに美味しく食べる方法を知っていた。香辛料で味をつけたり、味を変えていたのである。
香辛料の原料となる植物は主にインドやインドネシアで栽培され、流通には莫大な金が動いたという。香辛料のために船に乗って冒険した人もいるので、興味のある人は歴史を調べてみてほしい。
このようにして保存したものは火を通して食べることになる。焼いてもいいし、煮たかもしれない。

架空のキャラの創作料理という設定もアリ

レシピや材料の確立にせよ、保存方法にせよ、歴史を調べて確認する必要がある。あとは産地の問題もあるだろう。このあたりを総合し、あなたの世界で食べられているものを考えてみてほしい。
歴史を厳密に描こうと決めているなら、上記の「その時代に存在しない」料理や材料、調理法を登場させることは難しい。しかし、そこまでガチガチなルールでない場合は、少し工夫をして登場させてしまってもいいだろう。

- 架空のキャラクターが似たような料理を創作したことにする。
- 材料名をはっきりと書かず、特徴だけを記す。または似たような素材を創作する。

つまり、オリジナルの料理にしてしまえばいいのだ。こうすれば歴史的に見てもおかしくなくなるだろう。

chapter 8

人口

人が多ければ多いほど世界は発展する。
ただし一定のバランスも必要となる。

人口が多ければ小麦を育ててパンが作れる!

人口まで考える必要があるの? と思ったかもしれない。しかし、国の一番の宝は国民と言われているほど、私たち人間はとても大切な存在だ。自分勝手に振る舞ってきた時代があった貴族たちも、平民がいなくなればさぞ困ったことだろう。人口がどれだけあるかで、なにができるか、が大きく変わってくる。
人口と言われてもピンとこないかもしれないので、もっと規模を小さくしてみよう。
たったひとりでパンを作ってみるとする。材料から自分で用意するとして、なにから始めないといけないだろうか。まず小麦を作らないとならない。畑を耕すところから始め、日々世話をする。そもそも生育に適した土地も探しておかないといけない。材料ひとつ用意するだけで重労働だ。材料を用意できたら、今度は焼くための環境整備が必要になる。オーブンなのか窯なのか。長々書いてもしょうがないのでここまでにするが、かなり苦労することになるだろう。ひとりなら。
これが、人数が増えたらどうなるだろうか。小麦を作る人、オーブンを作る人、パンを作る人、分担したらひとりあたりの負担はかなり減る。そうなると大量生産も可能になる。人はいればいるだけできることが増えていくのだ。こうして社会が形成されていき、地域が国に発展していく。

年齢層はどうする? 科学の力で解決する手も

日本の人口は1億数千万人にのぼる。昔からこの数だったのではなく、科学や医療が発達しながら増えてきた。
では、国民のうち1億人がみな子どもだったらどうなるだろうか。今のように国は回るだろうか。ちょっと難しく感じる。
人口と同時に、国民の年齢層のバランスも大切になってくる。子どもが少なければ未来が危ういし、高齢者がいなくなってしまえば伝統の継承が困難になる。働き盛りの中年世代がいなければ生産力がなくなる。
逆に言えば、人口バランスを国や地域の問題として設定することもできる。また、近未来やSFの世界ならば科学の力でこれらの問題が払しょくされ、たとえば子どもだけの世界もありえるかもしれない。人口とそのバランス、ある程度で構わないので考えてみよう。

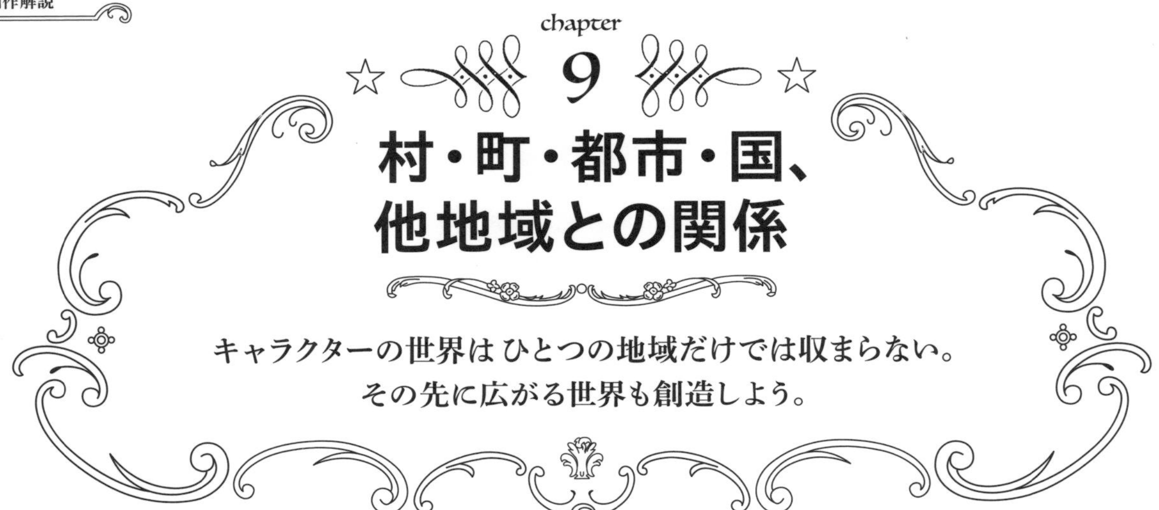

chapter 9

村・町・都市・国、他地域との関係

キャラクターの世界はひとつの地域だけでは収まらない。
その先に広がる世界も創造しよう。

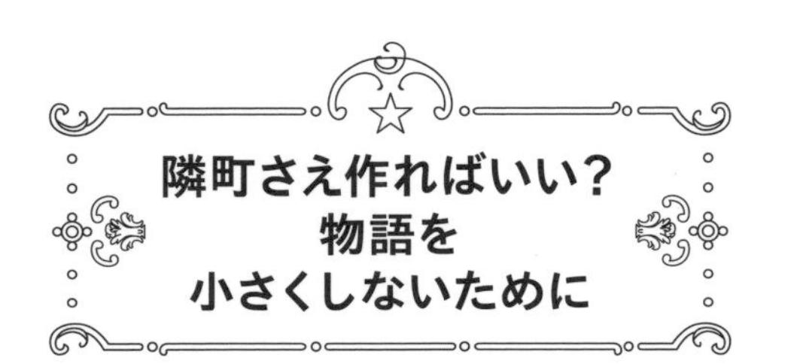

隣町さえ作ればいい？ 物語を小さくしないために

物語の舞台は小さな町で、ストーリー展開が進んでもせいぜい隣町くらいにしか行かない。それなら設定はその町と隣町さえ作ればいいんじゃないだろうか？ と思うかもしれない。それは間違っていないとも言えるし、やや安直な考えとも言える。
人口の項目で、人が増えればできることが増えていく、そうして社会が形成されていくと述べた。ほとんどの国や地域において市、町、村といったくくりができている。
また、ここでもパンを作ってみるとしよう。町単位であるなら、最低数千人は人口がいると思われる。土地さえ問題なければ小麦からパンを作り、それなりの数を生産するのも恐らくそう難しくはないだろう。
しかし、人間はパンだけを食べて生きてはいけない。肉や野菜、魚だって食べたいはずだ。食の話ばかりになってしまっているが、生きていくには家や衣服も確保しなければならない。他にも挙げればキリがない。それを、人口数千人だけでフォローしきれるだろうか。
不可能とは言わないが、実践している地域は稀だろう。ではどうしているのか。他の地域と交流することで必要な物資等を調達し、逆に提供できるものを売って収益とする。つまり交易である。
よって、物語はひとつの町だけで完結するとは言い難いのだ。

町がどのようにして成り立っているか考える

では、町がやり取りしている地域についてすべて考えなければいけないのかとなると、かなり大変なことになる。現代に近づくほど他地域との繋がりは多くなっていくものだ。
だから、まずはその町がなにを作って売ることで収益を上げているのかを考えよう。物資を調達することも大事だが、まずは元手がないと話にならない。町で作った品を大量に買い取ってくれる国なり企業なり団体なりがあるはずだ。そしてその得意先についての設定を軽く考えてみよう。どうしてその品を大量購入しているのかを。
今度は逆に町がどこから物資を買っているのかを設定しよう。国や地域ごとというより、企業や商人から買っているかもしれない。その企業や商人が会社や店を構えている場所はどこがいいだろうか。恐らく物資のやり取りが容易な場所が好ましいはずだ。港がある水辺か、人が多い都市か、大きな道がある場所か。町の人たちはそこまで買いに出ることもあるだろう。その場所について考えてみよう。
ここまで説明してきたが、「やっぱりストーリー中に出てくるものじゃないし、考えなくてよくない？」と思う人もいるかもしれない。では、実際の私たちの生活に置き換えて考えてみよう。近くにスーパーや薬局はあるので生活必需品は入手可能、しかし衣類や家具など都度必要なものは電車や車などを使って少し遠出が必要な地域に住んでいるとする。特段不自然な地域ではないかと思う。
こう考えてみると、町から出ないで生活するというのがかなり難しいことであるのがおわかりいただけるだろうか。東京なら、服は渋谷か新宿で買う、みたいなことだ。仮に渋谷に住んでいてすべてを買い揃えられるとしても、なにかしらの用事で渋谷の外に出ていくだろう。ふわっとした設定でもいいので、その外出先について考えておいた方が、あなたがイメージする町のリアリティに繋がるのだ。

外来者の存在が物語に奥行きを出す

昔からある物語のパターンのひとつに「転校生の登場」がある。地方の学校に突然都会から転入してきた、なんてストーリーを見たことはないだろうか。田舎の暮らしが当たり前だったキャラクターたちにとって、都会から来た人間は異色の存在だ。お互いにいろいろなギャップを感じることになる。
しかし、これは田舎と都会の設定がそれなりにきちんと作られているからだ。都会とひと口に言ったところでバリエーションはさまざまである。先ほど挙げた渋谷と新宿では、同じ都会でも性質が違う。買い物をする場所が多く、比較的若い人たちが集まる渋谷。ショッピングや外食をするには困らないが、オフィスも少なくなく地域の広い新宿。住み心地や街への印象が変わるだろう。それがキャラクターの設定にも繋がってくる。
渋谷と新宿では距離がさほどなく想像しにくいかもしれないが、東京と大阪、それぞれから来た人間をまったく同じ「都会から来た人間」とくくりはしないだろう。東京と大阪で別々の設定を作る必要がある。キャラクターの個性も変わってくるはずだ。
このように、主人公は外に出なくても外から来る人間はいくらでもいる。そしてその人間の影響を受けないとは言い切れない。そのためにもその町だけではなく、外部のことにも目を向けた方がいいのだ。

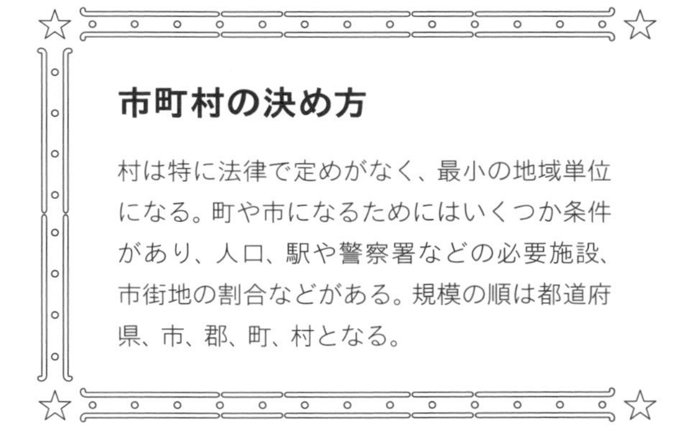

市町村の決め方

村は特に法律で定めがなく、最小の地域単位になる。町や市になるためにはいくつか条件があり、人口、駅や警察署などの必要施設、市街地の割合などがある。規模の順は都道府県、市、郡、町、村となる。

chapter

10

経済

私たちの生活に当然のように存在するお金。これがない世界はなかなか構築しにくい。キャラクターのお財布事情は？

人の生活と切っては切れぬものがある。お金だ。これがないとなにも買うことができず、生きていくことができない。貨幣が生まれる前は物々交換だったが、どちらにしても等価交換が必須だった。貨幣として貝が使われていたこともあり、そのためお金や経済に関する漢字には「貝」がよく組み込まれている。
経済について知りたいなら、書店や図書館に行けば初心者でもわかりやすい解説書や難しい専門書がいくらでも手に入る。それだけ複雑なものであり、ここで解説するのは難しい。また、世界を作る際に事細かに決めようとするとかなり骨が折れることになる。挫折してしまっては元も子もないので、おおまかなポイントだけ掴んでおこう。

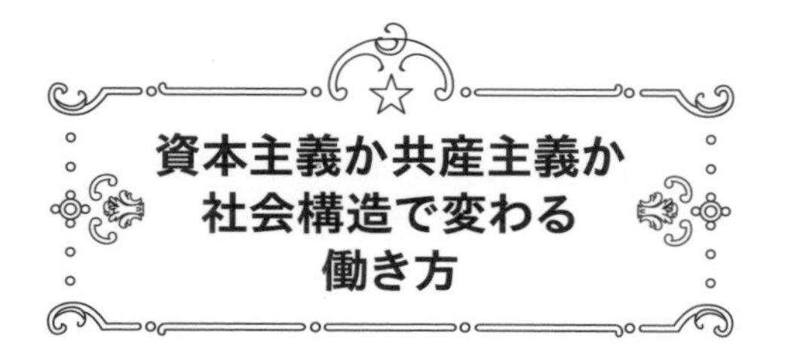

資本主義か共産主義か 社会構造で変わる 働き方

日本や世界各国のほとんどが資本主義だ。資本主義においては「自分のお金は自分で好きに使うことができる。ただしマイナスになった際の責任も自分が取る」になる。子どものころのお小遣い、アルバイトや仕事で得た給与は誰もがこのように使用しているはずだ。増やすこともできるし、減らしてしまうこともある。使い方が人それぞれのため、どうしても貧富の差が生まれてしまう。
対して共産主義は「みんなで作り、みんなで分ける」という理念になる。会社を立ち上げた際に社長など上役を立てず、皆平等。そこから出た売り上げも平等に分ける。貧富の差は生まれないし、誰かに命じられることもないので楽しく労働ができる。
しかし、この仕組みには大きな欠陥がある。誰かが仕事をしなくなった場合どうなるか。その者にもお金は行き渡ってしまう。結局は平等にはならないのだ。また、責任者がいないため作られるものに責任という担保がなくなる。これでは適当に作った粗悪品を作ることを止められない。そうなれば売り上げも下がるだろう。これでは成り立たない。
そこで、社会主義が生まれる。あらかじめどのように経済を回すのかを決め、国民に必要なものは国から配布されるというものである。国民たちはその計画に沿って労働をする。かつての中国などがこの制度である。
あなたの作る世界はどれがいいか、それだけは定めておこう。お金の使い方や働き方が変わってくる。

税金の支払いはあるのか？

国はどのように運営されているのか。国家予算を調べてみると、さまざまなことに国はお金を必要としていることがわかる。インフラ整備や社会保障、教育、防衛など多岐にわたる。そのお金はどこから生まれるのか。答えは税金と国債である。
国債とは国が発行する債券（お金を借りる手段）のこと。税金とは日々私たちも払っている、国や自治体に納める手数料みたいなものである。税金を納めることで多くの公共サービスを受けることができる。
中世の時代にも税負担はもちろんあった。その支払いが苦しく、国民はまともな生活も送れない、なんてこともあった。近世ではあるがマリー・アントワネットがいた18世紀のフランスがイメージしやすいだろう。
物語で税金の支払いシーンを描くことはそうないだろうが、時代と場所によっては税金が重くのしかかっていたことは覚えておきたい。日本では税金として米を納めた時代があり、不作に遭っても納める量が緩和されるわけではなかった。そのため飢餓者が続出するなんてことも珍しくなかったのだ。

キャラクターにどうやって稼がせるか

難しい話はこのくらいにしておいて、キャラクターたちに目を向けよう。彼らも基本的には社会の中に生き、お金を支払うことで必要なものを手にしているだろう。買い物や食事、宿泊シーンを描くことも多い。それでは、

あなたのキャラクターはどのようにしてそのお金を稼いでいるだろうか。
現代が舞台ならわかりやすい。お小遣いをもらうかアルバイトや仕事をして収入を得ればいい。これがファンタジックな存在だったらどうだろうか。
たとえば魔法使い。どこかに仕えて収入を得ているのならいいのだが、森の奥深くに住んでいる魔女というのもよく見る設定だ。自給自足で生活を営み、社会とは隔絶しているといった設定でもいいが、どうせなら収入源も考えてみたい。魔女らしく、薬を作って近くの村人に売っているというのはどうだろうか。よく効くだろうから商人が聞きつけて買い付けにくることもあるかもしれない。
次に、ドラゴン退治で報酬を得ているキャラクターはどうだろう。まず、個人事業主なのか、どこかの団体に所属しているのかを考えたい。個人事業主なら報酬は独り占め、しかし仕事を見つけるのが大変かもしれない。ギルドなどの組織に入っていればいくらか手数料を取られるだろうが、収入は安定するだろう。
そのドラゴン退治、報酬はどこから出てくるのだろうか。なにせドラゴンを倒しただけでは、お金が生まれるわけではないのだ（ドラゴンの皮や肉を売ってお金にする手はあるが）。個人なのか、国がドラゴン退治の予算を計上し、報酬として支払っているのか。ストーリーに直接関係ないかもしれないが、お金の流れを考えてみるのもいいかもしれない。

chapter 11

技術の発展

知能のある人間は知恵を使い、自らの手で少しずつ生活を楽に、豊かにしていった。それは現在進行形で続いている。

ファンタジックな世界を作るにあたり、ある意味一番慎重に設定を決めたいのが技術についてだ。この技術がどこまで進んでいるかによって人々の暮らしが大きく変わる。ストーリーに直接は関係がないかもしれないが、キャラクターたちの何気ない行動が現代とは違うものになるのだ。

暮らしを支える インフラを考える

インフラとはインフラストラクチャーの略で、本来は下部構造という意味である。それが「暮らしの基礎を支えるもの」といった意味で使われるようになった。
暮らしの基礎とは文字通りこれがないと住民の生活に支障をきたすもので、代表的なものでいうと電気・水道・ガスである。このほかにも道路や鉄道などの交通機関、電波塔などの通信施設、さらにいうと学校や病院、公園も含まれる。
どれも今の私たちにとってなくてはならないものだろう。実際、災害が起こりどれかひとつでも欠けてしまうと、人々の生活が大きく崩れてしまう（公園は問題ないのでは？ と思うかもしれないが、災害時のための備蓄倉庫が設置されている防災公園などもある）。

電気が使えるのか？

このインフラだが、中世ヨーロッパにすべてが揃っているわけがない、というのは想像に難くないかと思う。ガスについては火を起こせるので手間はかかるが問題はないだろう。
電気は発見されていない。私たちが当然のように使っている家電製品は一切使えないし、なにより夜になれば真っ暗で行動が大きく制限される。火が使えるので外灯はまったくないわけではないが、現代ほど多用できるものでもない。
そのため、基本的に夜は外出しないものとされる。
電気がないというだけで、私たちの生活とは大きく変わるということを意識してほしい。できないこと、不便なことが多々出てくるだろう。しかしそれがキャラクターたちにとっては当たり前なのである。
ちなみに電気の歴史を軽く紐解くと、認識自体は古代ギリシャ時代からされていた。それが科学的な目で見られるようになるのは17世紀に入ってから。実用的な発電機が作られたのは1870年ごろのことである。

水道は通っているのか？

水道はどうだろう？ 日本では蛇口をひねったら出てくる水を飲んでも健康上支障がない。これはすごいことで、きちんとした処理施設があるからこそ実現する。現代でさえ海外旅行をすれば、国によっては水はペットボトルのものを飲めと言われるくらいだ。
しかし、河川の水がそのまま飲めないのは近代の環境破壊の影響によるところが大きい。中世の時代なら河川の水をそのまま飲んでいてもいいだろう。あとは家などにどう水を引くかである。水辺の近くに住んでいればいいが、そうでない人はどうすればいいだろうか。定期的に水を調達しにいったり、商人が売りにやってきているかもしれない。そうなった場合、水はとても貴重なものになるはずだ。

通信技術はどうする？

現代になくてはならない携帯電話。元は通話をするためのものが、昨今はインターネットに接続して利用することの方が比重が重くなっている。そのインターネットが中世ヨーロッパでは一切登場しないのは言うまでもない。
では電話はどうだろうか。実用的な発明は1876年にアメリカのグラハム・ベルが達成している。となると、やはり中世の時代には存在していない。
そうなると、中世の人々はどのようにして連絡を取り合っていたか。口伝えか手紙あたりに絞られるだろう。のろしという手もあるか。遠距離の相手には手紙一択となる。
技術的なことはさておき、連絡手段が乏しいのはかなり厄介だったりする。少し離れただけでも相手の動向がわからなくなるし、自分のことも伝えられない。冒険ものなどでパーティーが一度離れてしまうような事態になったら合流が大変になる。予め「離れ離れになったら○○に集合」などといった約束事を決めておく、なんて設定もあってもいいかもしれない。

道路はアスファルトか？ 石か？

私たちが普段使っている道路。徒歩であれ自転車であれ車であれ、通行には特に差し支えないかと思う。当然のことではあるが、人の手によって舗装・整備がされているからだ。アスファルトによって平坦になっていて、石などの遮蔽物（しゃへいぶつ）もない。
中世の時代にはアスファルトはないとして、それでも舗装はされていただろう。そうでないと、徒歩はともかくとして、荷物を積んだ馬車などの移動も難しくなる。別の見方をすれば、道路の舗装によって人々の交流はなされていくと言ってもいい。
しかし、もちろんのことその舗装にも金と人力がかかる。いくら道路がしっかりしていなければ外の世界に出ていくのは難しいとは

いえ、一個人が整備するのはなかなかできないだろう。よって、舗装事業は基本的に国が行うことになる。資金が潤沢な国なら国中の道路を整備してくれるだろうが、そうでなければ中心都市が優先され、田舎などはガタガタの道のままかもしれない。徒歩が可能ならまだいいが、獣道さながらだったり、岩石などで塞がれていて迂回を余儀なくされたりすることもありえる。

冒険者たちが普通に歩いている道も当たり前の存在ではないということを頭の隅にでも置いておきたい。

交通手段は徒歩？キャラクターの体力は？

現代で東京から大阪に行くとなった場合、どんな交通手段があるだろうか。ポピュラーなのは新幹線か飛行機あたりだろう。半日から1日かければ車やバスでも行けるし、バイクを趣味にしている人はそちらを使うかもしれない。あとはかなり回り道にはなるが、船を使うという手もある。もちろん、時間をかけていいなら徒歩や自転車も可能だ。

このように、現代にはさまざまな交通手段がある。予算や所要時間、自分の好みに合った手段を使えばいい。しかし、当然のことだが中世の時代はこうはいかない。新幹線や飛行機などあるわけがないのだから。

この時代の主な移動手段は徒歩になる。またはお金を出して馬車に乗るのもアリだが、現代のバスのように気軽に乗れる料金ではなさそうだ。それに道路の舗装にも技術的な限界があるため長時間乗っていると体が痛くなってしまうだろう。

徒歩移動において留意しておきたいのは、

移動にかかる時間とキャラクターたちの体力。隣町まで行く程度ならいいにしても、冒険ものなどの長距離移動が基本の物語でこのあたりを意識せずにシーンをどんどん進めてしまうと不自然なことになってしまう。どうしてこんな短時間で移動できたのか、キャラクターたちの体力は無尽蔵なのか、ということだ。繰り返すが、今ほど道路はきれいに舗装されていないのだから、現代よりも体力の消費は激しい。

逆に近未来やSF的な交通手段にも目を向けてみよう。昨今開発が進んでいるのは自動運転の自動車だ。緊急時のブレーキ機能などはすでに実装されており、完全な自動運転の車もそう遠い未来のものではないらしい。

近未来もので出てくる想像上の乗り物で鉄板なのは、空飛ぶ車だろう。空にも道ができ、車やバイクが空を飛んでいる光景を一度は思い浮かべたことはないだろうか。

宙に浮かぶ乗り物も現時点で開発されている。自動運転の車ほどではないかもしれないが、生きているうちに乗ることができるかもしれない。

過去にしろ未来にしろ、その時点での技術発展と世界観を壊さないような乗り物であれば自分で創作してもいいだろう。

医療は進んでいるのか？

戦国時代、日本人の寿命は平均で約50歳と言われている。現代で50歳といえばまだまだ働き盛りの年齢だ。なぜこんなに早く死んでしまうのか。ひとつは今のように容易に栄養摂取ができない、もうひとつは医療の未発達だ。
結核はその昔不治の病とされ、新選組の沖田総司も結核によって亡くなっている。当時はこれといった治療法がなかった（現在は治療が可能）。

このように治し方がわからなかったり、薬が開発されておらず治療ができなかったりすることにより、人間は長生きできなかった。ケガも消毒液がなかったり、清潔な場所の確保が難しかったりして、感染症を引き起こして亡くなることもあっただろう。風邪を引いたらあっさり死んでしまうこともあったのだ。
考えておきたいのは、その世界で病気やケガをしたらどうなるか、ということ。病院はあるのか、医者はいるのか、一般人が利用できるほどの料金なのか。魔王を倒す旅をしているのなら、無傷でいられるとはなかなか考えられない。治療はどうするのか決めておこう。

交通手段について

さまざまな交通手段はいつごろ生まれたのか。いくつか挙げていく。

●蒸気機関車
昔の交通手段として真っ先にイメージしやすい蒸気機関車は1800年代。日本にやってきたのは1872年（明治5）のことになる。

●自動車
ガソリンエンジンが発明されたことにより普及が後押しされた乗り物。他には蒸気自動車が作られていた。電気自動車も19世紀の中ごろには登場していた（容量が少ないせいで走行距離が短く、実用性には欠けた）。日本で一般人が乗るようになるのは戦後のことである。

●飛行機
人間が空を飛ぶことに初めて成功したのは1783年、フランスのモンゴルフィエ兄弟が熱気球を飛ばしたものになる。その後、1903年にアメリカのライト兄弟によって動力飛行が成功した。その後飛行機はいろいろな用途に発達していくが、戦争で必要だったためである。

●自転車
1863年にフランス人によって作られ、その後パリの世界博覧会に出品されたのが初登場となるが、その前にも実用性には欠ける自転車が作られていた。

科学の発展次第で価値観も変わる

人間は長い歴史をかけてこの世の不思議を解明してきた。地球は丸く、そして回っている。重力が存在している。なぜ雨は降るのか、雲は落ちてこないのか。人間以外の動物たちはどういった行動理論を持っているのか。神の行いかと思われた不可思議なことも、時代を追うにつれ理論で説明できるようになった。こういった発見や開発、発展によって今の私たちの暮らしは支えられていると言ってもいいだろう。

その科学があなたの世界ではどこまで発達しているだろうか。基本はインフラがどうなっているかを考えておけばいいが、キャラクターたちにとって地球や雲、宇宙はどんな存在なのかを定義づけしてもいいかもしれない。それによってキャラクターたちの思考や価値観が変わってくるだろう。

chapter 12

ファンタジックな存在

創造の世界なのだから、「ありえない」ものがあってもなにも問題ない。あなただけの不思議な世界を作ってみよう。

ファンタジー世界の物語を作る際の醍醐味と言ってもいいのが、ファンタジック――ありえない存在だ。これまで歴史や科学的に矛盾がないようにあれやこれやと考える必要があると述べてきたが、ここに関してはいくらでも自由に考えてよい。むしろ、ここをどう個性的にするかによって物語の魅力が左右されると言っても過言ではない。
世界観を作る際、ファンタジックな存在を据えると決めたのなら、まず一番に要素を思いついたり考えたりするだろう（なぜかというと、単純に楽しいからだ！）。そのファンタジック要素を中心にし、矛盾が生まれないように他の項目を穴埋め形式のように決めていくのが効率的だ。

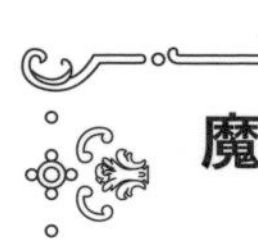

魔法は使えるのか？ ルールは？

ファンタジックな存在の代表格、魔法。なにができるかは無限大で、創作者の意のままである。炎を出してもいいし、魔法のほうきで空を飛んでもいいし、技術の発展の項目で指摘した医療についても、回復魔法があればなんら問題がない。発動方法も、ステッキなどのアイテムを媒体にしてもいいし、呪文を詠唱させてもいい。魔力を石などの物品に込めておき、それを使って魔法を発動させるといった手もある。
とはいえ、なんでもかんでも魔法に頼りきりなのは良くない。それだけで物語で発生する問題は大抵が解決できてしまい、ドキドキやハラハラした展開が望めなくなってしまうからだ。白けてしまうと言ってもいい。
また、無尽蔵に魔法が使えるとも限らない。人間が永遠に走り続けられないのと同じで、魔力にも限界があるはずだ。ゲーム的な用語でいえばMP（マジックポイント）である。
なにかを得るならなにかしらの対価を払う。魔法は基本的にこの考え方を念頭に置いておいた方がいい。それが有限の魔力なのか、回数制限があるのか、寿命を削っているのか。時間が経てば回復するなど、ルールや程度はあなたの采配に任せるが、なにかしらの決め事は作っておこう。

超能力の存在

基本的な考え方は魔法と同じ。魔法との違

いは媒体のアイテムや詠唱がなく、念じれば力が発動する演出が多いところだろうか。
また、魔法と違って無から有を生み出すというよりは、元からあるものを動かしたり破壊したりと、存在するものに干渉する力、といったイメージが強い。
こちらも無限には使えずにある程度の制限や対価を設けよう。

存在しない生物① ドラゴン

私たちの世界にも噂はされているが、いまだ存在が確認されていないネッシーやツチノコといった生物がいる。本当にいるかいないかは置いておいて、架空の生物を創造するのは創作者の楽しみのひとつかもしれない。
空想の動物で代表的なのはやはりドラゴンだ。主人公の敵として登場し、人間たちの住み処を破壊する恐ろしい生物として破格の存在感を放つ。逆に人間たちの味方になっていることも少なくなく、その場合は背に乗って一緒に空を飛ぶシーンをよく目にするだろう。
敵であれ味方であれ、ドラゴンは存在するだけで人間の生活に大きな影響を及ぼす。敵の場合、付け焼刃かもしれないがドラゴン対策を講じるだろう。ドラゴンがいることで世界はどう変わるのか考えておきたい。

存在しない生物② 妖精・幽霊・モンスター

目に見えないお友達といったイメージがある妖精。その性質はさまざまだが、いたずらっ子だったり気まぐれだったりと、やや人間には手に負えないキャラクター像をしていることが多い。小さくて美しいか可愛らしい姿が一般的だが、これは物語の影響が大きく、近世までは恐れられた存在だったらしい。
同じように超常的な存在として幽霊がいる。国によって姿かたちには差があり、日本では白い着物で足がない女性の幽霊がポピュラーだろう。恐ろしい存在という意味で幽霊と同列にされがちの妖怪(モンスター)も忘れてはならない。日本なら鬼、西洋ならゴブリンが有名どころだろうか。
ドラゴンと同様、これらの生き物も敵味方どちらにもなりえる。妖精と契約して魔法を使えるといった設定もあるだろう。どちらにせよ意識しておきたいのは、人間の価値観とは違うこと。人間の常識や死生観など、彼らには関係がない。そのため、とんでもない言動をしてもおかしくないのだ。

ファンタジーの世界への浸透度が重要

ここで紹介した以外にも、ファンタジックな存在はいくらでもある。どのような要素を入れるにしても、しっかり考えておくことがひとつある。それが世界全体でどれだけ知れ渡っているか、浸透しているかだ。
誰でも魔法が使える世界ならそれありきの科学発達になる。逆に、限られた者しか使えないのなら魔法使いは貴重な存在になる。崇められるか、利用されるか、力を恐れて迫害されるか。どれもありえる。これを疎かにすると世界がブレてしまうので気を付けよう。

chapter 13
ファンタジーの種類

**「ファンタジー」とひと口に言っても、その種類はいろいろ。
あなたが作りたいのはどんなファンタジー世界だろうか？**

ハイ・ファンタジーとロー・ファンタジー

ファンタジーと言われて、あなたはどんな世界をイメージするだろう。私たちの住む地球とはまったく別の世界で、森や草原が広がり、ヨーロッパ風の城が見えて、荒野には怪物が潜み、人々は剣や魔法を武器に戦う……そんなイメージを持つ人が多いのではないか。
今挙げたのは「剣と魔法のファンタジー」と呼ばれるようなパターンだ。しかし、実際にはもっとさまざまなファンタジー世界が存在する。
まずおおまかには「ハイ・ファンタジー」と「ロー・ファンタジー」に分けることができる。ここでいう「ハイ」「ロー」は高尚と低俗、細かいと大雑把……という意味ではない。一般に、異世界（架空の世界。地球の過去や未来であっても現在とあまりにも違えば同じように分類される）を舞台にするのがハイ・ファンタジー、現実の世界にファンタジックな要素が入り混じってくるのがロー・ファンタジーと理解されている。
前述した剣と魔法のファンタジーはハイ・ファンタジーだし、現代日本で魔法使いが怪物とバトルするような話はロー・ファンタジーだ。
ただ、この2つはそんなに明確に分けられるものではない。現代人が異世界に転移・転生してしまうケースなどがあるからだ。分類は「いろいろなファンタジーが存在する」ことを認識するためにあるのだと考えてほしい。

モチーフ次第で雰囲気も変わる

架空のファンタジー世界を作るにあたって、どんな時代や地域をモチーフにするかでも雰囲気は大きく変わる。
よく知られているのは「中世ヨーロッパ風ファンタジー」だ。中世ヨーロッパを思わせる言葉や風景、道具や社会が登場するものである。しかし実際には社会のあり方や技術、人々の暮らしなど、近世ヨーロッパから取り入れている部分も大きい。書き手の都合のいいように取捨選択しているわけだ。
もっといろいろな地域や時代をモチーフにしてもよい。中世や近世をより正確に反映させたり、古代ローマや近代ヨーロッパを異世界にしたり。別にヨーロッパに囚われなくとも、日本や中国、インドやモンゴル、そしてアメリカなどさまざまな地域の各時代をモチーフに、架空の異世界を作ることは十分可能なのだ。

chapter 14

問題

**世界には常に問題が生まれ、時には解決し、また生まれる。
それもまた世界の個性になりえる。**

世界の障害となるもの

物事に完璧などそうそうありえない。これは世界も同じで、いつどの時代、どこの国においてもなにかしらの欠陥や問題を抱えている。理想郷など程遠いのだ。
あなたが作る世界も、大小さまざまな問題を抱えているはず。キャラクターが住んだり過ごしたりする町レベルかもしれないし、国全体に影響があるくらいの問題かもしれない。この問題をストーリーの中心に据えることもできる。他国と戦争をしていたらそれが国の第一の問題になっているだろうし(どちらが切り出したにせよ、人力や資金が戦いに注がれている事実は国の運営に悪影響でしかない)、環境破壊が深刻化してその地に住めないなんてこともある。それらを解決するための物語にしてもいいだろう。国家レベルではなくキャラクターたちの身近なところに目を向けてみても、農業が不作だったり、権力者たちが対立していたり、害獣被害に遭っていたりといくらでも出てくる。これらをサブエピソードに持ってきてもいいし、直接ストーリーには関係なくても、キャラクターやその世界の人々になにかしらの影響があるかもしれない。

問題を作るというより、この世界を運営していくにあたってどんな障害があるだろうか、という考え方をするのがいいだろう。独裁的な人間が国のトップなら無茶苦茶な政治をしているかもしれないし、土地によっては自然災害が発生しやすいかもしれない。

問題の種類を考える

人間が生きていくにあたってどういった問題が発生するか、おおまかにではあるがいくつか見ていこう。

●政治
国のトップや官僚が考えた政策がうまくいかず、国民が苦しんでしまう。日本だと労働や年金、医療など課題点が多い。外交問題もよく取りざたされる。

●経済
いわゆる不況。働きたくても働けない、賃金が安く生活できないなど。税金が高すぎる国や時代もある。

●自然災害
地震や台風など、自然の力を前にして人間は無力。災害が起きたあとの復興への道のりは険しい。

chapter

15 主人公を世界に飛び込ませてみよう

創造した世界はどうだろうか？
キャラクターたちにとってどんな世界になっただろうか？

ここまで世界の要素について解説してきたが、いかがだっただろうか。他にも法律や教育については少し掘り下げて決めておくとよい。
教育は大雑把に文字の読み書きができるかどうかだ。昔は国が教育に力を入れず、一般市民が文字の読み書きができないことが珍しくなかった。そうなると唯一ともいえる連絡手段の手紙すら使えなくなってしまう。
逆に教育がしっかりと行き届いていて誰しもが高い能力を持っている、なんて世界にしても面白い。

その世界で主人公が生きられるのか？

「いろいろと決めてみたけれど、これでいいのかな……？」と不安に思うかもしれない。
なにせ世界構築に限界はないのだ。
とはいえ、時間は無限にあるわけではないのだから、今回挙げた項目について一通り設定し終えたところで一旦ストップしよう。
そして、その世界にキャラクターたちを飛び込ませてみよう。彼らがその世界で滞りなく生きていけるか（問題も込みである。その問題が正常に作用しているか）シミュレーションしてみるのである。矛盾が生じてしまったり空白部分があったりしたら改めて考えてみよう。
また、異世界転生ものというジャンルがある。
現代のキャラクターが中世ヨーロッパなどの世界に転生する物語だ。そうなると、主人公は右も左もわからない赤ん坊のような状態になる。そうなっても生きていけるか、このジャンルの創作を考えている人はこちらも一考しておきたい。
そんな物語のキャラクターはなんらかの形で特別な力や事情を持っていることが多い。
魔法だったり、特別な身分だったり、チートなアイテムだったりだ。そうなると、本来ならその世界で過ごすには難しいことが簡単にクリアできてしまうかもしれない。
だから、キャラクターたちの他に一般市民（ゲーム的に言うならNPC〈ノンプレイヤーキャラクター〉）もその世界で滞りなく過ごせるかシミュレーションしておこう。
これらの設定を作中ですべて登場させることはないと断言してもいい。というのも、全部出してしまうと設定資料のような物語になってしまうからだ。それでも考えておく意義は大いにある。キャラクターたちの言動に繋がるからだ。

第2章

世界観創作ノート

いよいよ実作に入る。はじめにでも述べたように、
5つの世界パターンを用意した。
考えていた物語に合致するようなら早速書き込んでいただき、
そうでない場合は解説を読みつつ、
自分ならどんな世界を作るか考えてみよう。

異世界ファンタジー★1★

魔法、超能力、錬金術、ドラゴン、エルフ。私たちの住む世界には存在しないものを堂々と登場させられる、夢のある舞台。

自分だけの世界を作る代表的なジャンルといえば、この異世界ファンタジーだ。代表的な剣と魔法の世界をはじめとし、エルフやゴブリンなどの架空生物が登場する世界、地上ではなく海中に存在する世界など、バリエーションはさまざまである。
思いついたファンタジックな設定を生かしつつ、世界を作り上げていこう。

ベースの国、時代

第1章の冒頭にもあるように、ゼロから世界を作るのはかなり大変な作業になる。そこで、ベースになる国と時代を決め、そこからアレンジを加えるのがよい。王道は中世ヨーロッパだが、他にも中華風や和風もある。それに、ヨーロッパとひと口にいっても、国はいくつもあり風土や文化はそれぞれ違う。
こだわりがあるなら「ヨーロッパの中でもこの国をモデルにしよう」と決めてもいいだろう。もちろん、二国をミックスさせるのもアリだ。設定の矛盾にだけ気を付ければ、よりオリジナリティのある世界を作ることができるだろう。

ファンタジー要素

世界を作るうえで最も楽しい、ワクワクする工程になるであろう、ファンタジー要素の設定。はじめにここを思いついている方も多いだろう。ベースの国と時代を決める前に、まずはこの要素をまとめてもよい。その方が設定したファンタジー要素にふさわしいベースを据えることができる。ひとまず、制限を設けず思いついただけ書いてみよう。その後整理をし、設定の足し引き、変更を加えていくとよい。

国名

せっかくオリジナルの世界を作るのだから、名前をつけたいもの。作中にも登場するだろう。欄には国名とあるが大陸や世界全体の名前でもよい。思いつかなければ最後に考えてみよう。

国名、人口の広さ

国の広さは「○○県と同じくらい」としておくとイメージがしやすい。また、23ページでも解説したように、人口で国の発展具合は変わる。具体的な数字は出せなくても「○○はできる人数」のように基準は決めておきたい。

ベースの国	
時代	

どんなファンタジー要素があるか

国名	
どれくらいの 広さか	
人口	

異世界ファンタジー★2★

これから決めていく項目は、基本的に既存の国を参考にして問題ない。ただし、ファンタジー要素が入ることによって生じる影響をしっかり考慮しよう。

地形、気候

地形でまず考えたいのは、山と海があるかどうかだ。山沿い、海沿いでは生活が大いに異なる。これは現代でも同じことだ。中世の時代をベースにしている場合、技術が今ほど発展していないのだから、今以上に影響を受けるだろう。
次に、国の形はどうだろうか。縦か横に長いのか。もしそうなら同じ国でも地域によって気候が大きく異なるはずだ。
これらも、どんな国にしたいかをまずイメージし、モデルの国を探してみよう。もし「海に囲まれた国にしたい！」のなら日本をモデルにするのはどうだろうか。

宗教・信仰

あなたの作る世界に神はいるだろうか。はっきりと「いない」と設定することは稀だろう（いないならいないで、特徴がしっかり出せるのならとても良い）。いる場合、人々がどれくらい神と関わりを持とうとするだろうか。
まず、国全体が特定の宗教を信仰しているかどうか。生まれた時からその宗教の教えに沿って生活し、家の近くには教会が当然のようにある。教えに背くようなら罰を受け、ありとあらゆる人から軽蔑の目を向けられる。
こう書くと宗教などない方がいいのかもしれないと思うかもしれないが、人々はそんなことは考えもしない。あるのが当たり前だし、神の教えに従っていればやがて救われるからだ。生きることが苦しい世界（飢餓や気候条件が過酷など）の場合、信仰心を持つことの方が多いだろう。拠り所が欲しいためである。
また、宗教を利用して国の統治をしているパターンもありえる。これらを踏まえて、あなたの世界に信仰はあるのか、あるならどんな信仰なのかを考えよう。

国民の階級

階級によって収入や権利に差が生じる。階級を定めるのなら史実に準じたものを当てはめ、名称や条件などをアレンジするといいだろう。もちろんオリジナルを作っても構わない。
法律などではっきりとした階級は定められていなくても、仕事や収入によって人々の立ち位置が変わってくるだろう。

政治

政治と言われると身構えてしまうかもしれないが、「誰がどのように国を運営しているか」と考えてみよう。王政なら王様が方針を決め、宰相が補佐をするといった具合だろうか。日本のように国民の代表、つまり政治家が決めるのなら、その選出方法も決める必要がある。次項で述べる他国との関係も含め、どのようなスタンスの政治をするのか、ある程度考えたい。

地形	
気候	

宗教・信仰	

国民の階級	
政治	

他の国・地域との関係	
隣国 （　　　　）	
同盟 （　　　　）	
敵対 （　　　　）	
交流 （　　　　）	
その他 （　　　　）	

他の国・地域との関係

現在の日本は他国といろいろな関係を築いている。調べてみると、意外な国と友好的な付き合いをしている地域も。自分が住んでいる地域がどこの国と関わりがあるか調べてみるのもいいだろう。
まずは否応なく関わりが深くなる隣国について考えたい。友好的なのか、敵対しているのか。敵対しているのなら原因はどこにあるのか。
その他にも同盟を結んでいたり、なにかしらの交流があったりする国を設定しよう。自国にないものを他国から取り寄せたり、逆に与えて収入を得たりもできる。ファンタジー要素が自国独自のものなら優位に立てることもあるだろう。

技術

この項目に関してはなるべく細かく分けた。これらを決めておくと、執筆の際の描写に大きく役立つ。
電気は中世の時代なら存在していない。しかし、ファンタジー要素によって代わりのエネルギーがあるかもしれない。水道・ガスはどれくらい整備がされ、一般市民が使いやすいのかを考えよう。
交通手段と交通路はセットで考えるとやりやすい。どんな乗り物があるかを決めたら、それに必要な道路も付随する。道路整備をするための技術や人手も想像ができるようになるだろう。そこから建築技術についても検討しやすくなる。技術はひとつを決めたら、数珠繋ぎで他の項目も定まっていく。ただし、ベースの国や時代に対して、始めに決めた項目に技術進歩的な無理があると破綻する。なので、そのため慎重に考えるようにしたい。
機械技術と科学はほぼ発達していないかもしれない。となると、医療もいわゆる民間療法と薬草での治療くらいしか選択肢がないと考えていいだろう。技術が発展している場合、どんな機械があるだろうか。オリジナリティのある機械を登場させても面白そうだ。

飲食

地形や気候を加味しつつ、まずは主食を考えてみよう。米または小麦が収穫できるのか、まったく別のものか。ヨーロッパならやはりパンのイメージが強い。
主食とともによく食べられる作物も考えたい。海に囲まれているなら魚には困らないだろうし、山なら山菜や鹿・猪といった動物の肉を確保できそうである。
あとは農業に適している土地かどうか。気候により作りやすい作物は変わるし、場合によっては何も作れない土地も存在する。食べ物が不足しがちな演出をしたいならそういった過酷な環境の設定をするとよいだろう。
素材が決まったら調理法とともにどんな料理を食べているのかを考えよう。その際は調味料と保存方法についても一考しておきたい。また、貧富の差があるなら食べられるものも違うだろう。ひとまず、登場させるキャラクターが食べるものを決めておけばOKだ。

技術	
電気	
水道	
ガス	
交通手段	
道路等、交通路の整備	
建築	
機械技術	
科学	
医療	

飲食	
獲れる食べ物	
調理法	

言語	
識字率	
教育制度	

異世界ファンタジー ⋆4⋆

言語

基本的にはベースにした国に沿うのが自然である。中世ヨーロッパをベースにしたなら、日本語を出すわけにはいかない。「執筆は日本語に決まっているじゃないか」というツッコミが聞こえてきそうだが、そういうことではない。キャラクターのセリフに日本語独自の言葉を入れられないということだ。わかりやすいのは和製英語だろうか。中世ヨーロッパ人が「スーパーに行ってくる」と言ったら違和感があるだろう。そもそもこの時代にスーパーのような総合的な商店はないだろうが。
とはいえ、和製英語すべてを制限すると使えない単語がかなり多くなってしまう。調べてみてほしいのだが、意外な単語も和製英語だったりするのだ（ソフトクリーム、ハイタッチなど）。表現の幅が狭くなるので、違和感がないものは採用してもいいだろう。

識字率、教育制度

この2項目はセットで考えたい。教育制度が整っていれば、自ずと識字率は上がる。とはいえ、子どもが働き手となる時代は長く、勉学に励んでいる時間などなかった。そうなると、話せても文字の読み書きはできない大人が国民の大半を占めていてもおかしくなくなる。教育が高貴な身分の者の権利や、贅沢な扱いになっていたりするのだ。
ひとまずは、国民のどれくらいの割合が文字を読み書きができるのかを決めよう。読み書きができないとどうなるか、宿の帳簿を書けないし、そもそも帳簿という概念がないかもしれない。
教育制度が整っているとするのなら、学校があるのか、寺子屋のような個人が先生になって教えているのか、などの設定を決めよう。

経済

考えた世界が国の形をしているのなら、税金がないとは考えにくい。一般市民はどのような税を納めているだろうか。お金の場合もあるし、日本では米を納めていた。大抵の場合は税負担が重くのしかかり、暮らしは楽ではないようだ。あとは資本主義か社会主義かも検討しよう。王様が国民ひとりひとりに定められた額を渡し、使い道まで指定している、なんて国があるかもしれない。

産業、主な働き口

国同士で商売をする場合、収入になるのはなにか、と考えるといいだろう。つまり、国で盛んに行われている産業や事業である。
気候の良さを生かした農業、鉄の扱いに長けた職人が多いのなら武器の生産、魔法使いばかりの国なら魔法を用いた商売を作ってみてもいい。
働き口はまず国の産業に関わる仕事があるだろう。農業なら農作物を作る人、それをどこかに売る人も必要になる。また、キャラクターができているなら、彼らがどんな仕事をしているのかも設定したい。

経済	
産業	
主な働き口	

文化	
風習	
国民性	

国の歴史	

文化

日本人と外国人を比べた時、いくつか違いを思い浮かべることができると思う。ありきたりだが、日本人は手先が器用だとか、礼儀を重んじるだとか。良いことばかりではなく、もちろん良くない点もあるだろう。これらを国民性という。

国民性は地域や天候によって左右されることが多い。温暖な気候に住んでいる人たちは温厚な人柄で、逆に寒冷地に住んでいる人たちはややキツいイメージがあるかもしれない。後者は生きていく環境が厳しいからである。のんびりと生きていられないのだ。よって、国単位ではなく地域で人柄が変わることもある。

設定をする際は、「この国はこういう国だから、○○な性格の人が多いだろうな」という考え方をすればよい。もちろん国民全員がそういうわけではないが、国の大体の方向性として決めておくと、国の特色になる。風習も同じで、ちょっと変わった決まり事や習慣があると個性になる。

国の歴史

国ができるまでには幾多の出来事を積み重ねる必要がある。それが歴史だ。小さな集落がくっついて国になれば、頭領をどうするかで揉めたことがあるかもしれない。とある集団が吸収するように別の集団を負かし、己の民とした場合、奴隷制度が確立するかもしれない。嫌な出来事ばかりではなく、平和的に同盟などを結んで拡大した国もあるだろう。

現状の政治や階級制度も踏まえ、「この国はこんな風にできた」とおおまかで構わないので成り立ちを創造してみたい。この歴史によって培われた風習や国民性もあったりするので、併せて考えてみるといいだろう。

特色

ここまで書いてきた項目に、国の特徴とも言える事項もあるだろう。まとめるために改めてここでも書き留めておきたい。この特色が舞台を描写する際の大きな武器になる。

なにもないな、と思ったらこれまでの設定を見直しつつ、なにかひとつ作ってみよう。「魔法を使えることが特色」でも構わないのだが、それでは他の作品との差別化は図れない。魔法が使えることによってどんな特徴が生まれるか、ともう一段階深掘りをしたいところである。

問題・課題・懸念

一見平和に、滞りなく運営されている国にも、問題はある。なんの憂いもない国というのは考えられない。人は完璧ではないのだし、その人が大勢集まっているのだから。

わかりやすいのは犯罪や食料、環境問題。己の富のためだけに政治を操る輩がいてもおかしくはないだろう。また、今は大丈夫でも将来的に問題になることもある。現実の問題や課題を調べつつ、自分の国にありそうな設定を作ろう。

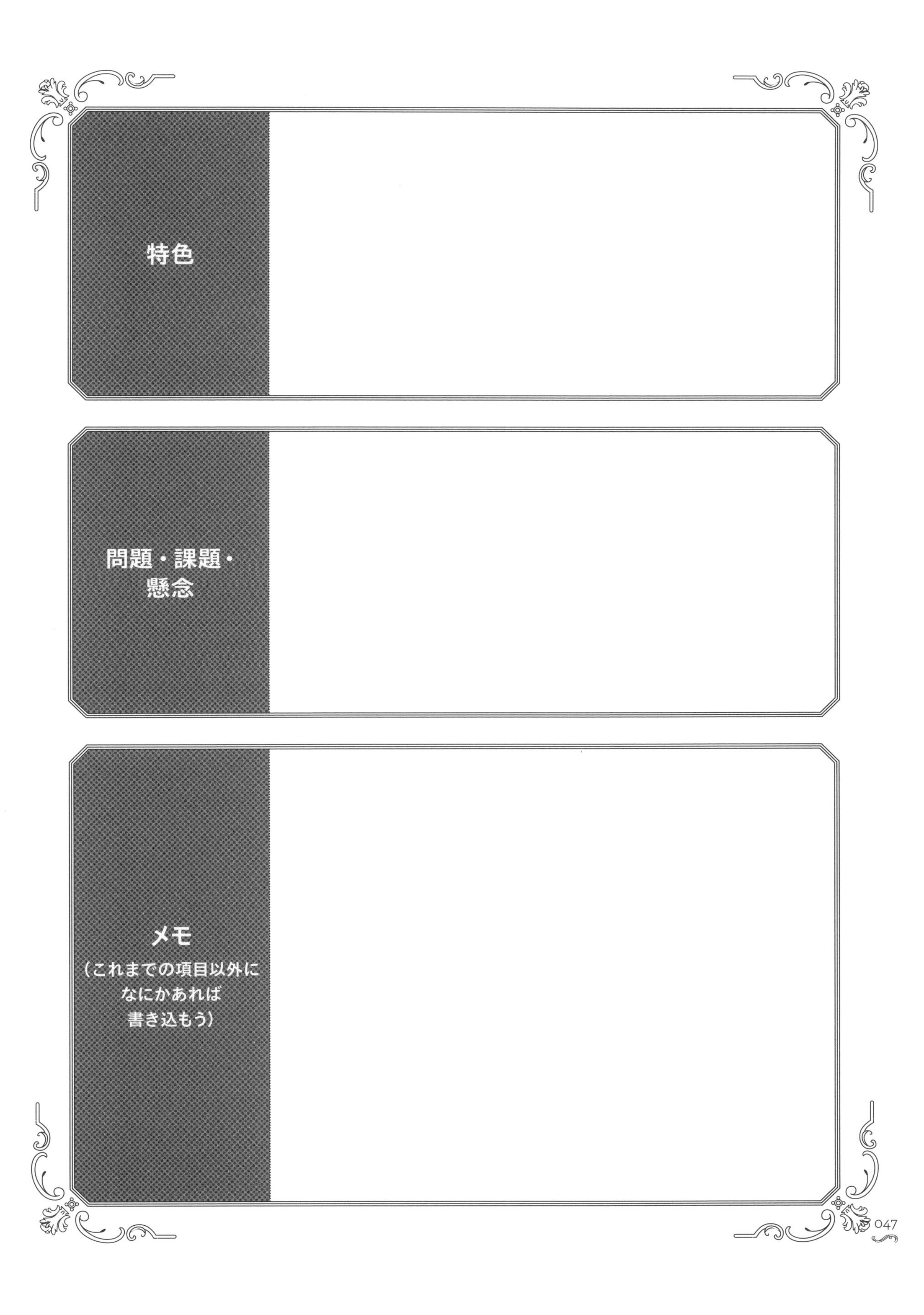
特色
問題・課題・
懸念
メモ
（これまでの項目以外に
なにかあれば
書き込もう）

近未来★1★

現代をベースにしつつも、今では実現不可能な技術を盛り込むのに最適な世界。発展に夢を描いてもよし、なんらかの原因で今よりも退廃している未来を描いてもよし。

近未来。一度は聞いたことのある言葉だとは思う。そのまま読めば「近い未来」ということだが、具体的にはどれくらい先のことなのだろうか？ これがわからないとイメージがしにくいかもしれない。
というわけで、辞書を引いてみた。『日本国語大辞典』（小学館）によると、

【比較的近い未来。ほぼ、年数として二けたまでの未来のことをいう。】

とのことだ。数十年先となると、みなさんもまだまだ生きていることだろう。
あまり先ではないとなると、現代とさほど変わらないのでは、と思うかもしれない。それでは、ここ30年を振り返ってほしい。わかりやすいのは携帯電話の変化だ。日本で携帯できる電話が登場したのは1985年のことで、国民が携帯電話を所持するようになったのは1990年代。2000年代に突入すると通話やメール以外にも機能が拡充し、ガラケーと呼ばれたガラパゴス携帯を経て、現在はスマートフォンが私たちの生活に溶け込んでいる。携帯電話が持たれるようになってから30年ほどで激動の進化を果たしているわけだ。
この進化によって日常生活も大きく変化している。固定電話を置く家庭は少なくなり、ニュースはテレビや新聞からだけではなくインターネットで見るようにもなった。
ロボット技術も大きな発展をしている真っ最中である。この先30年も進化が停滞することは恐らくないだろう。
街の風景にあまり変化がなくても、機械技術などの発展により生活が変わっているかもしれない。「こんな風になったらいいな」と想像してみるといいだろう。
一方で、発展だけするとは限らない。環境問題が悪化し、人間が住むには厳しい世界に激変する可能性もある。「そういうのはもっと先では？」と思うかもしれないが、創作なのだから数十年先に起きても構わない。現代の生活を残しつつ、人間が生きていくための物語はリアリティを生む可能性もあるだろう。

★なにが変わっているか★

前置きが長くなってしまったが、設定を考えていこう。まずはなにより、今となにが違うのかを考えよう。大きくスペースを設けているので思いつくまま書いてもいい。
それが決まれば相応しいベースの国や人口も導き出せるだろう。現代との違いをわかりやすくするため、舞台は実在する国をおススメする。

ベースの国	

なにが変わっているか（どれだけ技術が発展しているか／退化したか）

国名	
どれくらいの広さか	
人口	

近未来★2★

地形、気候

ここ数年の日本は夏〜秋を中心に異常気象が猛威を振るっている。毎年のようにどこかの地域が浸水してしまったり、強風により建物が損壊するのをニュースや新聞で見ているだろう。
自然は瞬く間に人が住む世界を変えてしまう。今は復興ができているが、それが追いつかない時が来るかもしれない。
王道の設定としては、水没都市がある。止まない雨により地上のほとんどが水に浸かり、地図上から姿を消してしまう。
もちろん現代とさほど変わりなくても構わないし、こういった大きな変化を検討してもいいだろう。

宗教・信仰

生きることが苦しくなれば拠り所が欲しくなるのは今も昔も変わらない。新たな宗教が登場し、場合によってはキリスト教や仏教を凌駕するかもしれない。
また、宗教でなくても、民間療法のような根拠のない説などが人々に信じられていても面白い。

他の国・地域との関係

日本を舞台にした場合、天変地異のような出来事が起きなければ現代と変化はないだろう。だが、その天変地異レベルの事件を起こせるのが創作の醍醐味である。上に立つ者が変わったり、現在の国の運営を維持できなくなったりすれば大きな変化があるかもしれない。
変化をつけるにしろ、つけないにしろ、まずは現状の政治や国の制度をきちんと把握しておきたい。

国民の階級、政治

今は同盟を結び、友好的な関係を築いていても数十年後は違うかもしれない。そうなると自国の立ち位置も変わってくるので、変化をつける際は慎重に考えよう。
また、国内の地域同士での関係性も変わっているかもしれない。仮に日本が水没し、小さな島々が点々とするような地理になったらどうなるだろうか？ 交通や連絡手段には困らなくても行き来が億劫になるかもしれない。逆に行き来が劇的に簡単・楽になれば現状の都会と地方のあり方ではなくなっていくだろう。

疫病の恐ろしさ

災害もいろいろあるが、中でも疫病（伝染病）は特に恐ろしい。中世ヨーロッパでは黒死病の蔓延で人口の3分の1が失われたと言われるほどだ。
近代以前の世界では細菌やウィルスの知識が乏しく、人々の栄養状態も良くないので、一度広まれば多くの犠牲者を出すだろう。一方で現代や近未来では、移動手段が発達したせいで、近代以前より遥かに広い地域へ蔓延してしまう。やはり疫病は恐ろしい。

地形	
気候	

宗教・信仰	

国民の階級	
政治	

他の国・地域との関係	
隣国 （　　　　）	
同盟 （　　　　）	
敵対 （　　　　）	
交流 （　　　　）	
その他 （　　　　）	

近未来 ★3★

技術

世界観設定の中で大きな肝になるかもしれないのがこの項目になる。
今より便利な世の中になっている場合、なにが発達した結果だろうか。携帯電話のようにワンアイテムの進化だけで生活は変わる。とはいえ、携帯電話が活躍するにはネットワーク回線の拡大と速度アップも重要だ。ひとつの技術を支えるためには周りのフォローも必要になるということである。
1ページ目でどれだけ技術が発展しているかをまとめたのなら、ここで改めて周囲のフォローについても考えてみよう。そのフォローの技術によって副産物もあるかもしれない。
ネットワーク回線の速度が上がったことによりデータのやり取りが簡単になり、今では誰もが簡単に動画を編集し、インターネット上にアップできる。動画を編集するためのツールも昔はプロが利用するくらいだったが、今では無料で手に取れるものすら存在している。今や携帯電話はパソコンとの境界が曖昧になってくるほどの進化を遂げているのである。
携帯電話はこれからも変貌を遂げていくだろうが、他の分野にも目を向けたい。
空飛ぶ車は未来を象徴するアイテムとして代表的なものだ。それが今、現実のものになりつつある。実用化はまだ先だろうが、有人飛行の試験も行われたくらいのステップに行きついている。
もしこの車が一般人でも使えるようになれば、交通手段に革命が起きるだろう。
現在進んでいる技術や研究を調べ、さらに発展したらどうなるか想像してみてほしい。

飲食

現状、日本の食料自給率は高くなく、輸入に頼っている。この脱却は数十年では難しいかもしれない。そうなると現在とさほど変化はないと考えるべきか。
作物は変わりないものの、調理法はなんらかの進化をするかもしれない。ひと粒飲めば一日の必要な栄養がすべて摂取できるサプリメントなら数十年のうちに誕生してもおかしくないかもしれない。

言語、教育制度

現代の私たちにとって言語はただ読み書きや会話するだけのものではない。もうひとつの側面としてプログラミング言語がある。
プログラミング言語はコンピューターのプログラムを確立させるための言語だ。普段なにげなく使っているコンピューターのツールなどがこのプログラミング言語によって作られている。
「そんなのはプロが使うだけ」と思うかもしれないが、小学校の授業に採用されるくらい、身近なものになっている。
授業も、ひと昔前は英語は中学生から習うものだった。それが現在のグローバル社会により、小学生から学ぶものとなっている。世界の動きによって学びが必要になり、小さなころから教えを受ける分野がこれからも増えていくだろう。

技術	
インフラ	
交通手段	
道路等、交通路の整備	
建築	
機械技術	
科学	
医療	
その他	

飲食	
獲れる食べ物	
調理法	

言語	
教育制度	

近未来 ★4★

経済

この数十年で大きく変わったもののひとつに、お金の扱いもあるだろう。物やサービスを購入するのに現金で購入していたところに、クレジットカードが登場する。手元にお金がなくてもカード一枚で買い物ができるようになった。そして今、電子マネーの利用などによりカードすら要らない時代になっている。もちろん現金主義も根強いものの、この先は現金を持たない時代がくる、とまで言われている。
お金の運用についてはどうだろうか。ただ貯蓄をするだけでなく、投資で増やすこともできる。最近では少額から（お金ではなく、貯めたポイントを使う商品まである）投資ができるようになり、かなりハードルは低くなっている。
税金についても考えてみよう。2021年現在、消費税は10%（軽減税率は8%）である。これが上がるのか、下がるのか。私たちは多様な税金を支払っているが、新しい税金の誕生もありえるだろう。それが真っ当なものなのか、搾取だと反感を買うものなのか。その時国を運営している者たちの手腕が問われる。

産業、主な働き口

技術が発達すれば新しい産業が生まれる。仕事の種類も変わっていくだろう。近年ではAIの進化が著しく、人間は遠くない未来にAIに仕事を奪われるのではないかと言われている。そうなれば、人間はどのように食い扶持を稼げばいいのだろうか。新しい仕事や社会のあり方ができているかもしれない。

風習と流行

携帯電話に限らず、持ち運ぶ電子機器の大半は充電式になっている。ひと昔前は電池式だった。ということは、私たちの生活の中に「充電」というルーチンが組み込まれたのは割と最近ということになる。風習とは少しずれるが、世の中の変化により新しい習慣が生まれることもあるだろう。
次に流行について。流行の寿命は短い。特にインターネットが発達した昨今は情報が溢れ、新しいものがすぐに古くなる。SNS上で話題になった出来事が、数日後には一切語られなくなることがザラだ。
それでも根強く残るものもあり、それが文化に変化していくこともある。
一時は一世を風靡したプリクラだが、携帯電話にカメラがついたことで人気が下火になったのではないだろうか。それでもゲームセンターから姿を消したわけではない。今でもワンフロアを占めるほどである。これはプリクラが若者を中心にした文化のひとつになったからだと言ってもいいだろう。

経済	
産業	
主な働き口	

文化	
風習・ 現在の流行	
国民性	

国の歴史	

近未来★5★

国民性

数十年で大きく変わることはないと思われるが、なんらかのきっかけで新たな意識が芽生えるかもしれない。
たとえば、気候の項目でも言及した異常気象や地震によって、個人の災害対策への興味、関心が高まっている。「なんとかなるだろう」の精神が「各々で災害用品を用意しなくては」に変わっていないだろうか。

どうして暦が大事なのか?

暦は時間の流れを区切り、把握するものである。私たちが「今は何年何月何日なのか」を把握できるのは、暦があるからだ。しかしそのありがたさを感じる人はそう多くはない。
人類は古代から暦を作ってきた。これは為政者にとって大事なことだった。ひとつには、暦を作ることは時間を支配することであり、王の権威に直結すると考えられたからだと思われる。正確な暦を作って月食や日食などの特別な天体事象のタイミングを当てることも重要で、古代中国ではその予測が外れれば信望を失ったという。
また、農業にとって暦は非常に重要だった。種を蒔くタイミングや収穫のタイミングが適切でなければ、収穫量が全く違ってしまう。たとえば「一粒万倍日」があって、この日に種を撒けば万倍に増えて収穫できたと伝わっている。このように、農民たちは暦に敏感だったのだ。

このような新しい考えや常識が生まれる可能性も検討してみよう。

国の歴史

現代から数十年の間になにがあったかをまとめておきたい。大きな事件や出来事はもちろんのこと、緩やかに変わっていった物事もあるかもしれない。
事件や出来事の例としては、災害、法律の改正、情報端末や仕組みの変化、科学などにおける新たな発見などが考えられる。

特色

発展によって他国の追随を許さない技術や産業が生まれていると、それが特色になる。
また、元々あったものに別の見方を見出してみてもよい。日本なら寺社仏閣・山岳や滝などの自然をパワースポットとして観光地化させた。

問題・課題・懸念

日本のみならず世界はこの数十年で急激な発達をしてきた。その代償として、さまざまな問題が深刻なものとなっている。エネルギーや廃棄物など、未来への課題は山積みだ。
仮にそれらの問題が解決されていたとしても、新たな課題が生まれているだろう。今より少し先の世界を想像するのは楽しいが、こうしたマイナスの面にもしっかりと目を向けたい。ここから物語が生まれることもある。

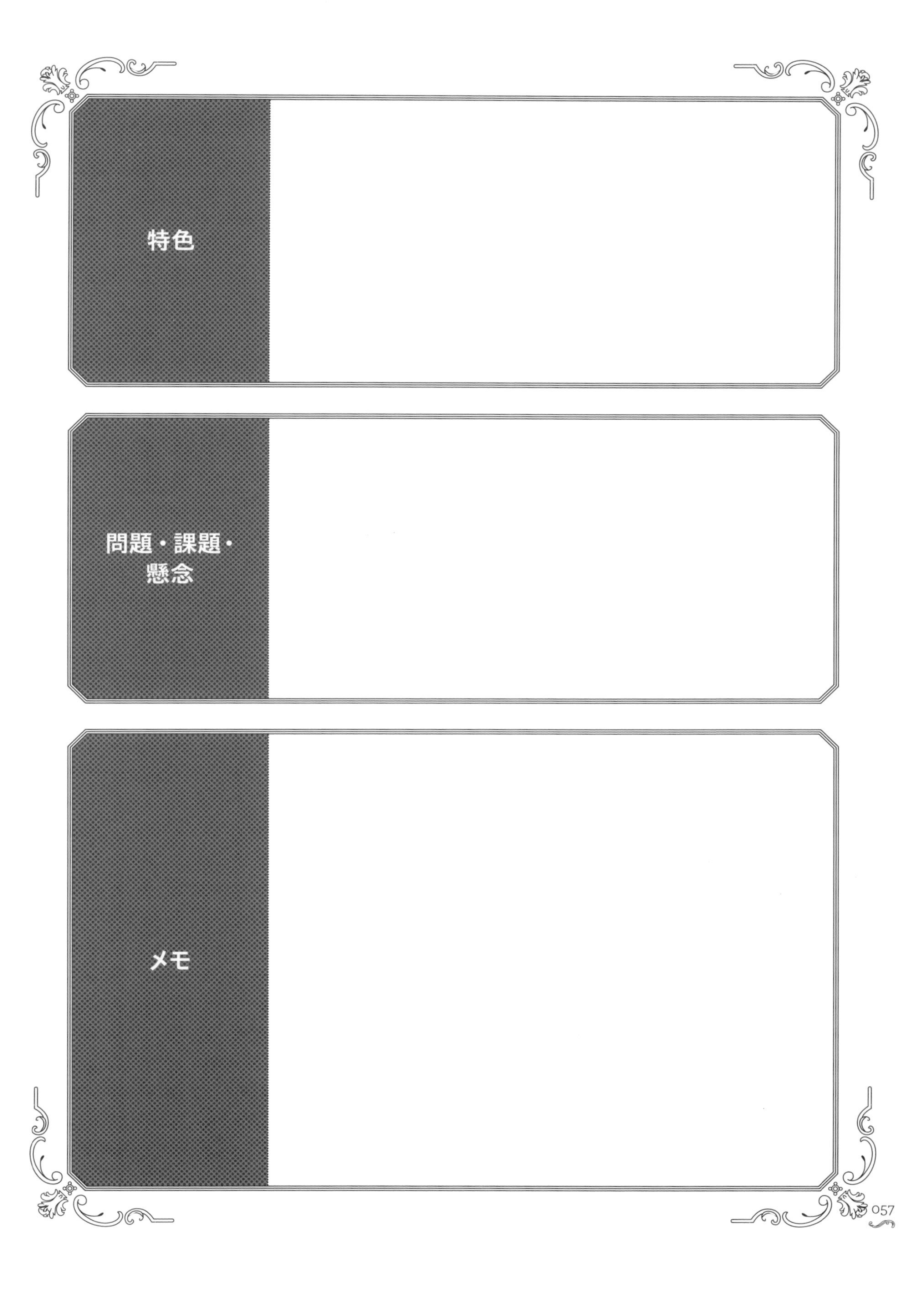
特色
問題・課題・
懸念
メモ

現代ファンタジー ⭑1⭑

**私たちが暮らす世界が舞台なら、親近感が湧く。
そこに不思議な要素を入れたらどうなるだろうか。
親近感に加えてワクワクが生まれるだろう。**

「ファンタジックな設定を入れたいけれど、ゼロから世界を作るのは大変……」
「魔法を使える世界にはしたいけれど、中世ヨーロッパが舞台ではイメージとズレてしまう」
こんな思いや考えをお持ちの方もいるかもしれない。ファンタジーと言えばどうしても中世ヨーロッパが代表的な舞台にはなるが、もちろん他の場所や時代であっても構わない。むしろ、差別化のためにも他の舞台を模索してみるべきだ（中世ヨーロッパも見せ方を変えたりすればいくらでも差別化はできる）。
そこで今回は現代ファンタジーという分野を提案したい。その名の通り、現代の舞台に、現実にはありえないファンタジックな要素を組み合わせた世界のことだ。
現代ファンタジーの作品は意外と身近にあり、子どものころに楽しんだであろう戦隊ものや魔法少女ものがこれに当てはまる。
キャラクターは私たちが暮らしている世界とほとんど変わらない街に暮らし、現れる敵と戦う。この敵とキャラクターの力がファンタジックな要素となる。
また、近年小説は「キャラクター文芸」「キャラミス」などと呼ばれるライトノベルから派生したジャンルが生まれた。このジャンルにおいて現代ファンタジーがよく登場する。主要キャラクターが大人であることもあって現実により即しており、リアリティと不思議な要素がうまく共存できている。
現代ファンタジー（ロー・ファンタジー）の大きな利点として、受け入れやすさがある。ハイ・ファンタジー世界と違って多くの設定を覚える必要がないし、親近感も湧く。逆に弱点は新鮮味に欠けることなので、ファンタジックな要素でしっかりと読者の関心を引きたい。

現実となにが違うのか

世界の設定は現実のものをそのまま使えばいいので、考えることはほとんどないと思うかもしれない。しかし、料理で調味料をひとつ足せば味が変わるように、設定を追加すればなんらかの影響が及ぶはずだ。むしろ、影響による世界の変化が物語の差別化にもつながる。まずはこのページでファンタジックな要素を書き出そう。人が魔法を使えてもいいし、幽霊など不思議な存在を登場させてもいい。

国名、広さ、人口

あくまで舞台は現代なので、私たちが暮らす世界と基本的に変わりはないだろう。ただ、前項でも述べたように、ファンタジックな要素の影響を受けて少し変化を持たせても面白い。

ベースの国	

現実となにが違うのか

国名	
どれくらいの 広さか	
人口	

現代ファンタジー 2

地形、気候

ファンタジックな要素とひと口にいっても種類はいくらでもある。人に不思議な力を与えてもいいし、自然が今とは違った様子を見せてもいい。近未来でも例に挙げた「止まない雨」だったり、日本には四季があるのに一年中夏になったり。地形に関しては、突然日本が少しずつ移動を始めた…… なんてびっくり設定も面白いかもしれない。
地形や気候に不思議な設定をしていなくても、影響により変化があるのなら書き留めておこう。

宗教・信仰

ノストラダムスの大予言はご存じだろうか。1999年に人類が滅亡するという予言だ。今となってはこの予言が間違っていたものだとわかるが、この手の予言はいつの時代でも誰かしらが発信し、少なからず話題になっている。
たとえば、地形や気候、植物など自然のものにファンタジックな要素を与えた場合、こういった予言が活発になるかもしれない。自然のことなど誰も予想がつかず、正解もわからない。しかし人はなにかしらの答えがないと不安を覚えてしまう生き物である。その答えが悪い予言という形で現れるかもしれないのだ。
予言に真実味があれば人々はそれを信じ、絶望したり回避方法を探したりするだろう。予言をした人を崇めるかもしれない。それはさながら宗教のように思えるのだが、いかがだろうか。

国民の身分

特別な人間がいた時、そうでない人間は彼らをどう扱うだろうか。敬うか、恐れるか、排除しようとするか。
たとえば、魔法や超能力など超人的な力を持つ人間が少数いたとしよう。彼らは味方であれば頼もしく、言葉を選ばなければ便利な存在だ。
しかし、敵対の意思が窺える、または味方と確信できないとなるとどうなるだろうか。少なくとも野放しにはしていられない。いつどこで牙をむくかわかったものではない。
いくら個が強くても、圧倒的な数をかければ案外勝てるものである。数がいればありとあらゆる物量も増えるし、知恵も授かる。こうして数の力により特別な人間を叩きのめし、迫害や生活の制限をかけることがあるだろう。これが身分という形で現れる。
逆に、いくら数で戦っても勝てないほどの人間だったらどうなるだろうか。特別な人間が善人なら、先述の通り能力を世に役立ててくれるだろう。しかしそうでなければ、ただの一般人を支配しようとするかもしれない。絶対王政の誕生もありえるわけだ。
一方で特別な人間側の事情や心情も考えておきたい。善の行いをしていても、利用され続けていたらどうなるか。心変わりもありえる。

地形	
気候	

宗教・信仰	

国民の身分	
政治・法律	

他の国・地域との関係

隣国 （　　　　）	
同盟 （　　　　）	
敵対 （　　　　）	
交流 （　　　　）	
その他 （　　　　）	

現代ファンタジー 3

政治・法律

前項の身分で例に出した、特別な人間が国を牛耳るようになれば、政治の仕組みも変わるだろう。特別な人間に逆らえないような法律ができたり、厳しい罰則が定められたりといった具合だ。

また、人の身分などに変化はなくても、ファンタジックな要素により新しい法律が生まれるかもしれない。その法律が現代に生きる私たちにとっては変わっていたりトンチンカンだったりすると面白い。

他の国・地域との関係

ファンタジックな要素が舞台になる国や地域だけでなく、世界規模のものなら各国との関係にさほどの変化はないと思われる。物語に関わることがないならあまりいじる必要はない。

ファンタジックな要素が自国や一部の地域だけのものなら、設定によっては力関係に変化が生じるだろう。世界での発言力が強くなり、自国に益をもたらしやすいようにもできる。広い範囲が一瞬で焦土に化す兵器が現存する今、世界征服はあまり現実的ではないものの、あらゆる交渉を有利に運べると思われる。

逆に国や地域が弱体化してしまう設定であれば、他の地域の助けを得なければならないかもしれない。そうなると発言力は自ずと弱くなり、肩身の狭い思いをすることになる。それが一市民の生活にまで影響を及ぼすレベルなのかもシミュレーションしておきたい。

技術

戦隊ヒーローや魔法少女たちは、基本的に不思議な力を敵を倒したり人を救うためだけに使う。だが、不思議な力を持つ者がもっといて、彼らが社会貢献に力を使ったら世の中はどうなるだろうか？

暮らしがもっと便利になったり、不可能だったことが可能になったりするかもしれない。

現代で魔法が使える人がそれなりにいる世界だったとしよう。使える魔法は人によって違い、得意不得意があるとする。みながそれぞれ力を発揮できる仕事や研究、ボランティア活動に励むことだろう。

- 空を飛べる者は危ない高所作業や空飛ぶタクシー
- 回復魔法が扱える者は薬・手術では治らない病気やケガを治す
- 水を操れる者は火事の消火活動や河川の氾濫を阻止
- 身体強化ができる者は力仕事や警備員、スポーツ選手

いくつか例を出してみたが、他にもいろいろとアイデアが浮かぶはず。

例の中では特に回復魔法が画期的だ。回復が一時的なものなのか、再発はしないかなどの懸念点を解消する必要はあるものの、助かる命が増える。入院せずに自宅で魔法をかけられるのなら、病院の数が減るかもしれない。このように、魔法使いによって供給が満たされると、現存する施設が不要になることもある。もちろん、新たに必要な施設があったりもするだろう。

技術	
インフラ	
交通手段	
道路等、交通路の整備	
建築	
機械技術	
科学	
医療	
ファンタジー設定による技術	

飲食	
獲れる食べ物	
調理法	

言語	
教育制度	

現代ファンタジー 4

飲食

日本人は食に貪欲というべきか、好奇心旺盛というべきか、外国人が驚くようなものを食したりする。魚を生で食べることも世界的には珍しく、寿司を食べられない外国人も多い。だからこそ日本の文化のひとつとして有名でもあるのだが。
そんな日本にモンスターが存在していたらどうなるだろうか。そのモンスターも食用になっている可能性がある。

言語、教育制度

ファンタジックな要素となれば、新しい言語を生み出すのもアリだ。心の中だけで会話できる（いわゆるテレパシー）なんて設定もアリかもしれない。
教育制度においては、たとえば魔法使いがいる世界なら、国の利益向上のために魔法使いを育成する専門的な学校があってもいいだろう。

経済、産業、働き口

技術の項目で解説したように、ファンタジックな要素により現存の仕事の形が変わっているかもしれない。国を支えるくらいの産業にもなりえる。
一方で、特別な力を持っていない人間はどうなるだろうか。働き口がなくなり、貧富の格差が生まれる可能性も否定できない。この辺りは特別な人間とそうでない人間の人口割合でも決まってくる。どうしても特殊な設定に目がいってしまうが、そうでない人々がどう生活しているのかもフォローしておこう。

文化

基本的には近未来と考え方は同じである。ファンタジックな要素により現代とは違う考え方・価値観が生じているかもしれない。それらが風習や流行、国民性といった形で表れる。
年に一回特別な人間に感謝するための祝日、といったものができてもおかしくはないのだ。

「ゼロ」と「数字」は当たり前じゃない!?

私たちは数をゼロから1、2、3……と数え、書く時にはアラビア数字（算用数字）と呼ばれる数を数える専門の文字を使うことが多い。しかし、そのどちらもあらゆる社会にあるとは限らないことをご存知だろうか。
ゼロの概念はインド発祥だ。また、アラビア数字もインドからアラブ経由でヨーロッパにもたらされた。それ以前、ゼロもアラビア数字もヨーロッパにはなかったわけだ。
この数字は計算時に大変都合が良い。たとえば「百万五十二足す三千五百二十七」などと書くより、「1,000,052＋3,527」としたほうが計算は容易い。数字のない社会に普及させると、事務作業が効率化されるだろう（ただ、算木や算盤など計算道具が発達している社会では大きな効果はないかもしれない）。

経済	
産業	
主な働き口	

文化	
風習・ 現在の流行	
国民性	

国の歴史	

現代ファンタジー5

政治・戦争は歴史に学ぼう

物語の中でスケールの大きな政治や戦争のエピソードを扱いたい人もいるだろう。国と国が互いの命運をかけて戦争をしたり、孤立した王子が国内の有力貴族の力を借りて乾坤一擲の勝負に出たり、国に家族を殺された男が陰謀を巡らせて罠を仕掛けたり……どれもドキドキワクワクするシチュエーションで、ぜひ活用したい。
しかし、これらの展開を説得力のある形で作り上げるのは簡単ではない。史実における政治や戦争、陰謀は多くの人々が関わり、偶然なども左右した結果として生まれたものだからだ。それをひとりの頭で作り上げるにはやや無理がある。どうしてもご都合主義的だったり、単純過ぎたりするものになってしまう。
そこでおすすめなのが、史実に学ぶことだ。実際に起きた政治や戦争、陰謀の枠組みだけもらってきたり、複数の出来事をくっつけたりすることで、自然と説得力やリアリティのあるエピソードを作り上げることができる。なにしろそれは本当に人々の思惑や偶然が積み重なって起きた事件なのだから。
戦争の場合は、兵法書や軍略書の内容なども参考になるだろう。古代中国の兵法書『孫子』には優れた将軍や愚かな将軍の条件、危険な状況、補給物資の重要性などが記されている。『兵法三十六計』にはあえて敵を反対側から誘導したのちに攻める「声東撃西」など、36もの戦術が記されている。これらを応用することで、説得力のある戦争が描けるはずだ。

国の歴史

ファンタジックな要素がいつ生まれた（発見された）ものなのだろうか。ここ数十年・数百年でもいいし、人間が誕生したころからあっても構わない。
歴史の差によって国民への浸透度やファンタジックな要素への見方が変わってくる。歴史が浅い場合は混乱の最中かもしれないし、いくら良い要素でも受け入れられていないこともある。

特色

ファンタジックな要素による新たな産業や文化などが特色になることもありえる。良いことならいいが、次項で言及する問題などが色濃く表れることも。「特色（他より優れているという意味である）」とはあるが、悪い方が目立つようならそちらを書き込んでも構わない。

問題・課題・懸念

魔法使いが善意を持って社会貢献していても、世の中が完璧な理想郷になることはほぼありえない。経済と産業の項目で解説したように貧富の格差が発生するかもしれないし、魔法を悪用した犯罪が起きるかもしれない。
ファンタジックな要素の歴史が浅い場合、課題や懸念が山積みであることも（逆に言えば、発展途上でこの先より良くなる余地もある）。
これまで書き込んできた項目を見直し、マイナスになりそうな点はないか改めて考えてみよう。

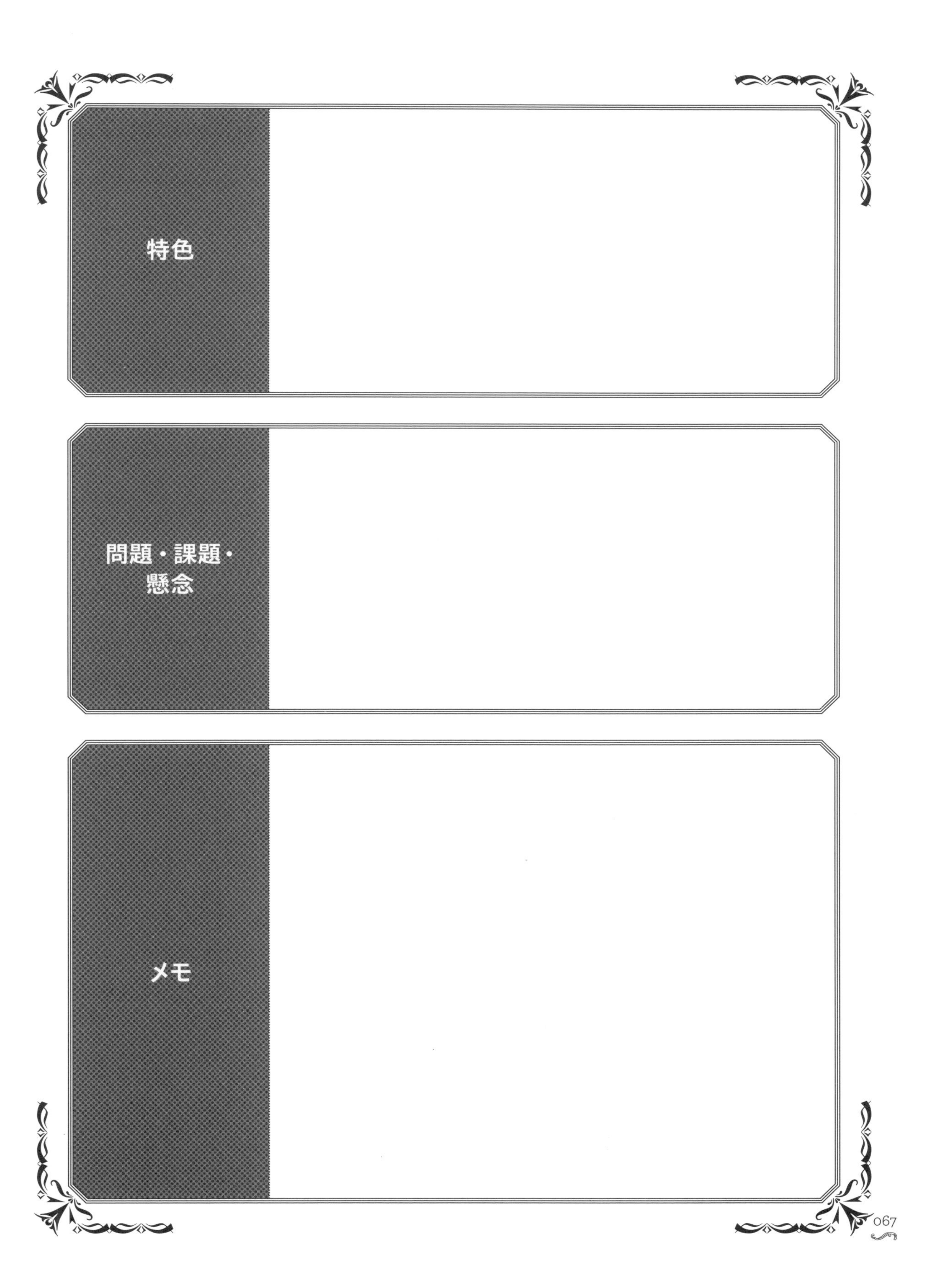

特色	
問題・課題・懸念	
メモ	

遠未来 1

人が地球の外に出たらどうなるだろうか、宇宙にはなにがあるだろうか。
地球に暮らし続けていたら、人は生物として
新たなステップを踏み出すかもしれない。

近未来が数十年後のことなら、遠未来は数千年、さらにはもっと先の未来のことを言う。今の私たちの暮らしは片鱗も残っておらず、貴重な歴史書に記述されているかもしれない。
誰も正解を知らない未来を創造するのだから、異世界ファンタジーよりも大変だったりする。異世界ファンタジーは現存する国や歴史をベースに使うことができるが、遠未来はほぼゼロから作ることになる。骨の折れる作業ではあるが、なににも縛られることもなく、自由度は折り紙つきだ。世界を考えるのが好きな人はぜひチャレンジしてみてほしい。

舞台は地球の外へも

なにもかもが自由なのため、一体どこから決めたらいいか途方に暮れてしまうかもしれない。まずは舞台を地球にするか、それ以外にするかを考えてみよう。

●舞台は地球

人間はその時代でも生息しているか。王道の設定として、AIが人間を倒し、地球の民になっているというものがある。人間は絶滅を恐れ、一部がコールドスリープ（冷凍睡眠）をしているのが一連の流れではあるが、世界設定を作る際は人間が追い出された地球でAIがどのように暮らしているかを考えたい。
もちろん人間が現代のように繁栄しているパターンもある。その場合、科学などはどれだけ発達しているだろうか。今のように働く必要もなくなり、終いには意識だけが生命維持活動をしている、なんてこともありえる。その際の世界はどうなるか。

●舞台は地球外

地球から出るとなると舞台は宇宙、ないし未知数の異次元などが候補になる。どこだとしても、キャラクターが活動する母体が必要だ。
宇宙が舞台なら地球以外の惑星か、常に移動する船も定番である。もちろん船ではなく電車や車の形をしていてもいい。ビジュアルにこだわるのも乙というものだろう。
どちらにするか決めると同時に、キャラクターである生命体は人間なのか、それ以外なのかも考えよう。

ベース	

舞台の詳細

名前	
どれくらいの広さか	
人口	

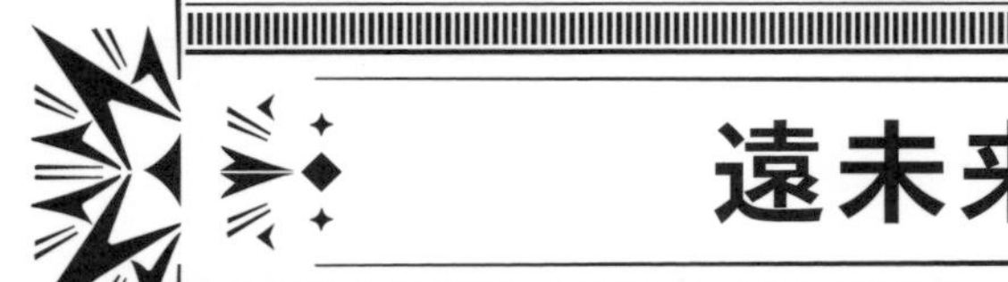

遠未来 2

広さ、人口

舞台が地球にしろ、地球外にしろ、人口がどれくらいいるかによってその舞台の性質が垣間見える。
人類が今よりも繁栄し、土地も足りるようなら現在よりも人口はさらに増えているかもしれない。その人口を支える資源も事足りていると考えていいだろう。資源不足の問題とは無縁なくらいな方が遠未来っぽさが出る。
繁栄の真逆、自然災害などにより人口が激減しているパターンもありえる。その際は選ばれた人間だけが生き永らえていたり、まともな生活を送っていたりしており、そうでない人間は真っ当な暮らしができていない。人口が少ないということは生産率も自ずと下がるので、慢性的な食料不足や、復興ができないことによる技術の退化が考えられるだろう。こちらのパターンの場合、荒れ果てた土地が広がり人が住める地区は限られている、といった設定にするとリアリティが出そうだ。
舞台が宇宙外で船などの場合、収容数は限られる。超技術などで無尽蔵に増やせてもいいが、限定的であるからこそ物語として光る部分も多い。実在する大型の船がどれくらいの人数を収容することができるのか調べ、参考にしてもいいだろう。

地形、周囲の環境

この項目もゼロから考えなければならない。新しい惑星が舞台なら陸はどのくらいあるのか、そもそも海という概念があるのか、登場するキャラクターが住める場所はどれくらいあるのか、などを決めていこう。
船などの乗り物の場合、居住区はもちろんのこと、食料を生産する区画があるかもしれない。地形とは少々ずれてくるが、船にどんなエリア・機能が搭載されているか考えたい。
環境については、地球が舞台ならどんな気候状況だろうか。数千年、数万年も経てば氷河期が来てもさほどおかしくはない。そして氷河期を乗り越えられる技術を持っているかもしれない。
地球外の舞台も基本的には気候と同じ考え方でよい。キャラクターにとって過ごしやすいか、厳しい環境なのかが重要になる。
船では雨は降らないだろうが、常にエンジンが稼働しているのだから全体的に暑いかもしれない。または過ごしやすいエリアとそうでないエリアに分かれており、住民の格差を表現することもできる。

宗教・信仰

数千年先の未来では宗教や信仰というものは存在しないかもしれない。神という目に見えないものを追い求める必要などないくらいに人々の暮らしが発達しているかもしれないからだ。
もちろん、拠り所という点においてはまだまだ頼りにされていてもおかしくはない。そんな人の心理につけこみ、人間が神を創り出して実権の掌握に利用するといったアイデアも考えられる。

地形	
周囲の環境	

宗教・信仰	

国民の階級／身分	
統治／運営	

他の地域との関係	
近い地域 （　　　　　）	
同盟 （　　　　　）	
敵対 （　　　　　）	
交流 （　　　　　）	
その他 （　　　　　）	

遠未来 ★3★

国民の階級／身分

はっきりとした制度を設けるなら、物語に活かさないとあまり意味がない。ストーリーの本筋には絡まないとしてもキャラクターや住民たちの暮らしにきちんと反映させたい。
制度こそないものの、「この人に逆らってはいけない」と恐れられる人物がいて、疑似的な身分差が生じていることもある。
また、身分の一種として【大人と子ども】についても言及したい。日本では現在20歳で大人となり、それ未満は子どもとされる。法律でこの年齢が変わるかもしれないように、大人と子どもの境界線は国や時代によって変わるものだ。明らかに子どもの歳でも労働力とみなされれば大人同然の扱いをされることも。数千年後の世界ではどうなっているか考えてみよう。

統治／運営

現在の日本は、国民が投票で選んだ代表者たちが国の運営方針や法律、国家予算の使い道などを決めている。つまり、選挙権のある国民たちで国のあり方を決めているといってもいい（なかなかそうもいかないところが問題ではあるのだが）。
数千年後に同じ仕組みがあるかどうかは人々の暮らしや環境によっても変わってくる。人口がほんの僅かであれば、全員で話し合いなどによっていろいろなことを決めるかもしれない。または誰かひとりがリーダーとなって舵を切ることもあるだろう。
頭領のいない組織はうまくいかないことが多い。みなが責任なく好きなことを言ったり、まとまりにくかったりするからだ。そういった意味ではどれほどの人口や環境であれ、リーダーシップを取るキャラクターと統治の仕組みは立てた方がいいだろう。

他の地域との関係

生きるのが厳しい環境なら周囲と協力するのもいいし、限られた資源を奪い合う関係でもおかしくない。
また、周囲にはなにもなかったり、船で移動していたりするため、自分たちだけしかいないということもありえる。

技術

数千年後の技術がどうなっているか、とても正解は導き出せそうにない。逆に言えば「なんでもアリ」でもある。
今は実現不可能なすさまじい技術や驚くような科学、空まで届くような建築物など、発想は多岐にわたる。

飲食

こちらも技術と同じく、数千年後は未知数だ。SFものでは栄養バランスが考えられたペースト状の食事がよく見られる。作中で食事シーンを描く機会はよくあるので、キャラクターがなにを食べているのかはしっかり決めたい。

技術	
電気	
水道	
ガス	
移動手段	
交通路の 開拓・整備	
建築	
機械技術	
科学	
医療	
独自の技術	

飲食	
獲れる食べ物	
調理法	

言語	
教育制度	

遠未来 ★4★

言語

今の私たちは口頭での会話やメールなどでの文字ベースのやり取りなどでコミュニケーションをとっている。数千年後も同じ方法でコミュニケーションをしていてもまったく構わないが、メールやチャットなどのツールは新たに作った方が「らしさ」が出る。
またはテレパシーで会話ができるなど、別の方法を設定するのもアリだ。その際、言語はどのような扱いになっているのかも併せて考えてもよい。

教育制度

SF作品では遺伝子を操作し、優秀な人間を誕生させるといった設定を見ることがある。そうなれば教育が不要になるかもしれない。あっても機械的なプログラムを受ければスキルを習得できるといった技術もありえるだろう。
一方で、道徳に代表される情操教育はどうなるだろうか。遺伝子操作で画一的な人間ばかりになれば、感情はどう育っていくのか、親の躾はどのようなものになるのか、そもそも躾という概念が存在するのか。
この辺りはキャラクターの人間性にも大きく関わる。

経済

現在、人々はお金を払うことで自分に必要な物・サービスを得ている。お金は労働や国の支援などによって入手している。
まずはこの制度が数千年後も続いているのか考えてみよう。AIが発達し、人間がまったく働く必要がなくなれば、お金を得る機会が激減する。
しかし、AIにすべてを任せられるのであれば、人は対価を払わなくても生活ができるのではないだろうか。実際にそういった創作物も目にする。
お金のやり取りがなくなれば、経済そのものも仕組みが大きく変わることになるだろう。

産業・主な仕事

AIによって人間の仕事がなくなるかもしれないが、生きがいを得るためなどの理由でわざと仕事を作ったりする可能性もある。または、いくら数千年後でも人間がやらなくてはいけない仕事がまだまだ存在しているかもしれない。
まずは、ここまで考えてきた設定を振り返り、どんな仕事が必要なのかを検討してみよう。

風習

常識や「こうあるべき」といった価値観、ならわし、人々が慣習的に行っている行事など、作ろうと思えばいくらでも作れる。
際限がなくなってもしまうので、特徴的な風習をいくつか考えてみるところから始めてみるとよい。現代の人にとっては驚いたり、理解できなかったりするような風習だとギャップがあって面白い。

経済	
産業	
主な仕事	

文化	
風習	
国民性	

舞台の歴史	

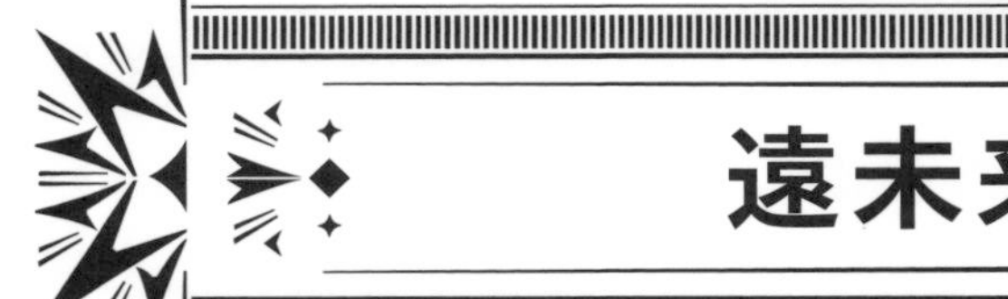

遠未来★5★

国民性

風習と同じく、今の私たちには理解しがたい価値観や常識を持っていると、数千年後の世界は今とまるで違うのかと印象付けることができる。一方で、今と変わらない考え方も入れ込んでおくと共感がしやすくもなる。思いついた設定を軸にし、バランスを取ってみよう。

舞台の歴史

数千年の時をかけて、世界はどのようにして築かれていったのか。おおまかな流れでもいいので考えてみよう。
地球から出ることになったのなら、どんな理由で、どのようにして、いつごろ出たのか（出てからどれほど経っているのか）。全員が出られたのかも重要になる。

特色

私たちから見れば、この世界そのものが特色だらけといってもいいかもしれない。それ故に、作品の形にする際にありとあらゆる設定を出してしまう恐れがある。魅力的な世界は物語を彩るが、あまり出し過ぎてしまうとキャラクターが霞んでしまう。基本的に物語はキャラクターを主軸に置くべきだ。
そうならないためにも、「これだけは物語でしっかりと出したい」と考える要素を特色として挙げておこう。特色を軸にストーリーを作っていくこともできる。

問題・課題・懸念

問題のない完璧な世界を作ることはかなり難しい。人間にとって住みよい世界だとしても、その裏でどこかしらに負担がかかっている。
または一部の人間だけが益を享受し、それ以外の人間は厳しい暮らしを送っていることが、数千年後でもあるかもしれない。
人の価値観や考え方にさほどの変化がないのであれば、人間関係での問題も当然あるだろう。同じ組織・社会の中でも、己の益のためなどの理由で対立や争いが起きてもおかしくはない。

銃はなにが怖い？

銃、あるいは鉄砲。火薬の爆発力によって金属（主に鉛）の弾丸を飛ばすこの武器は、戦争のあり方を変えた。ファンタジー物語を作るにあたっても、銃を出すか出さないかは作品の雰囲気を大きく左右する選択肢だ。
では、銃はなにがそんなに他の武器と違い、恐れられるのだろうか。大抵の場合、高価で、かつ火薬（黒色火薬は硫黄と木炭と硝石から作る）も安くないのに使われる理由は何故か。
単純な破壊力もあるが、それだけではない。まず、発射すると轟音や煙が出て、人や馬を怯えさせる効果がある。そしてなによりも、引き金を引くだけで人を殺害することができる。剣や槍のような近接武器は殺し殺される恐怖があるし、弓は操作が難しい。しかし銃は違う。普通の農民をすぐ兵士にし、一騎当千の勇士を殺せる可能性があるのだ。

特色	
問題・課題・懸念	
メモ	

学園都市 ★1★

**子どもが統治する、子どもだけの社会。
仲間たちとともに学び舎で勉学に励みながら、生活も自分で面倒をみる。
秩序はどのようにして保たれるか。**

学園都市とは

学園都市とは、大学や研究施設などの教育機関が集まった都市のことをいう。しかし、ここでは違う定義で話を進めたい。

【人口の大半が学生であり、彼らが都市の統治・運営を行う。】

つまり、上に立つものが社会人ではなく学生となり、都市の決まりや法律などもすべて彼らの手によって決まる。教育施設では従来通りなにかしらを学ぶが、外に出れば商店の店主も学生というわけだ。
このような特殊な都市は変わった場所にあることが多い。島まるまるが学園都市になっていたり、人里離れた山奥に位置していたりするのだ。他の街との交流もないわけではないが、生活は基本的に学園都市内で完結しているし、場合によっては卒業するまで都市から出ることができない、なんて規則もあったりする。
閉鎖的であるからこそ、学生たちのみで運営する都市という特徴がさらに印象付けられるわけだ。
この学園都市は、ライトノベルで1ジャンルとなるほどの人気を誇る。肝心の学校にもファンタジー要素が盛り込まれ、たとえば魔法学校といった特別な学校であることが定番だ。変わった学校だからこそ秘匿などを理由に閉鎖的な土地にあり、学生が自治をするといった特殊な設定の裏付けとなる。

なんの学校か

まずはなにを学ぶ学校なのかを考えよう。普通の学校では少々面白さに欠けてしまうので、可能であれば特殊技能を学ぶ学校であると良い。同時にどの年齢の生徒が通うのかも決めたい。主要キャラクターに直結するためだ。
大学と附属学校（大学に付設される小・中・高のこと）のように複数の学校があってももちろん構わない。その際は自治の割り振りがどうなっているのかも決めておこう。一般的に考えれば大学生が自治を一任されていそうだが、附属学校の学生たちも参加する方が面白くなりそうだ。
特殊な学校であれば入学には条件があるはず。そして卒業できれば、将来それなりの仕事に就けるのではないか。学校に留まり教師業をしてもいいかもしれない。
意外と見落とされるのが学費だ。主人公は特待生で学費無料なんて設定もアリだが、その際は誰が彼／彼女の学費を肩代わりしているのか考えたい。

なんの学校か	

学校の詳細	
どういった土地か	街／島／その他（　　　　　　　　　　　　）
通う学生	小学生／中学生／高校生／大学生／専門学生／その他（　　　　　　　　　　　　）
具体的になにを学ぶのか	
何年間通うのか	
入学条件	
卒業条件	
卒業後の主な進路	
学費	
特待生制度の有無	

都市／学校名	
どれくらいの広さか	
人口	

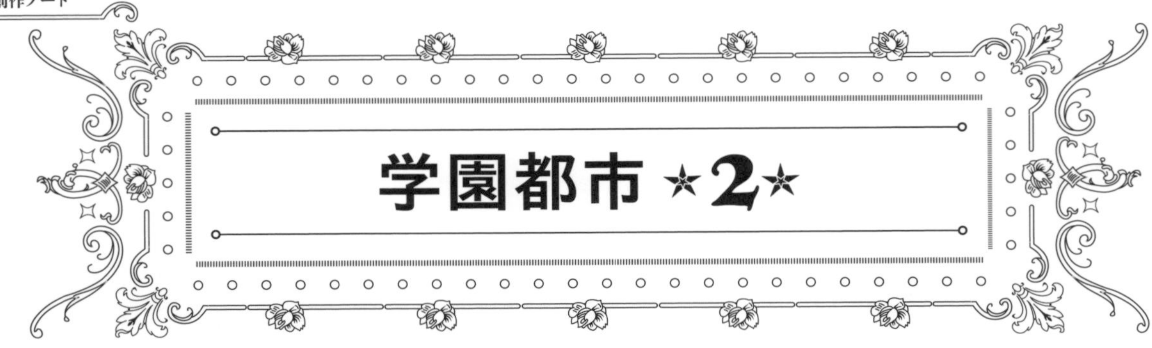

学園都市 ★2★

広さ

学校や研究施設がどれだけの数あるかにもよって広さが変わってくる。または、広大な土地が必要な学業（たとえば農業学校は栽培や牧畜も行うのでかなりの広さが必要）なら、現代の市ひとつ分くらいの広さになるかもしれない。
都市の主な建物や施設を洗い出し、「大体これくらいの広さは必要になるな」と逆算する手もある。施設を書き込む欄は最終ページにあるので、ここには後で戻ってこよう。

人口

基本的には生徒数が何人か、で粗方の人口は決まる。しかし、都市に大人がひとりもいないということはさすがにありえない。大人がいなければ誰が教師役を務めるのだ、という話になる。
また、都市の運用に多少は大人の手助けが必要だろう。学業が第一なのだから、都市になにかしらトラブルが起きても24時間いつでも対応ができるわけではない。その辺りのフォローをする大人がいるはずだ。

地形、気候

どんな場所にあるかは前のページで決めたので、周囲になにがあるのか、どんな気候なのかを決めよう。面白いところでは、都市丸ごとがドームの中にあり、気候に左右されないといった設定を見かける。逆に、学びのために厳しい環境もありえる。

宗教・信仰

現実でもミッション系の学校（宗教が関わる組織が運営している）があるように、ひとつの教えに基づいて学業に励むことがある。
戦士を育成するような学校であれば軍神に、農業学校であれば農耕神に毎日祈りを捧げるのもいいだろう。

住民の階級、統治

住民＝学生となるわけだが、先輩・後輩の上下関係がそのまま階級として現れるかもしれない。その際、上級生には学校や都市での生活においてどれほどの特権があるかを考えてみよう。
現代の部活では、新入生は更衣室を使えない（教室など別の場所で着替える）、道具の後片付けは後輩が行うなんて決まりがあったりするが、これを都市に置き換えると利用できない施設や商店があるといったことになるだろうか。
身分差は先輩・後輩の他にも、出身の差（王族・貴族・庶民）、実力差でもつけることができる。もちろん平等を謳うのもアリだろう。
統治は身分差があるのなら、自ずと上級の者が行うことになる。それが何人いるか、どのようにして選ばれるか、どこまで決定権があるのかを考えよう。
選挙制度を採り入れ、都市の運営は学生の投票によって決まるというやり方でもいい。派閥も生まれそうなので、組織の争いを描きたいならもってこいである。

地形	
気候	

宗教・信仰	

住民の階級	
統治	
学校と学生の関係	

学則	

学園都市 ★3★

学校と学生の関係

都市の運営にはいくらかの大人は必要だと解説したが、一番人数を割くのはやはり学校になるだろう。教師陣が大人なら、学長も大人が担っているのだろうか。
とはいえ、学園都市はあくまで学生たちの街。学校も学生たちが仕切っているとしてもいいだろう。そうなると、教師や学長はあくまで雇われの身であり、学校の運営そのものは学生の誰かが行っていると考えられる。

学則

学校の目玉のひとつと言ってもいいかもしれないのが学則だ。現実では煩わしいものと思う方もいるかもしれないが、創作においては特殊だったりユニークだったりする規則を作り、物語を盛り上げることができる。規則そのものの面白さもさることながら、破った際の罰則も一味違うとさらに良い。破れば謹慎や掃除、反省文辺りが定番だが、「戦闘訓練の的の役」「魔法の実習に必要な素材を集めてくる」といった、学校の特色に合わせた罰則を設けてみるのはどうだろうか。また、学園都市という性質上、学生は寮に住んでいることも多い（裕福な者はひとりでマンションを借りているとしてもいい）。寮の規則も併せて考えておこう。

技術

考え方はファンタジー世界とそう変わらない。ベースになる時代を決め、その時代に沿った技術の発展を当てはめる。特殊な学校であればその要素が技術に影響を与えることもあるので、加味したい。

飲食

勉学に励む学生たちの楽しみのひとつが食事であろう。食べ盛りでもあるし、どんなものを食べているのかをしっかり考えておけば作品制作の際に役立つ。
まずは食料について。都市で野菜などを作り自給自足の生活ができるだろうか？ すべての食料を賄うのは難しいかもしれないので、一部は外から取り寄せているものもあるだろう。次にどんな調理ができ、どんなメニューが存在しているか。ファンタジー世界を舞台にするのなら世界観に合ったメニューにしたい。

他の地域・組織との関係

まずは学園都市の存在が公になっているのか、秘匿されているのかを決める必要がある。そのうえで、つながりがある地域や組織があるかどうか考えよう。秘匿されているとしても、生活を考慮すると完全なる鎖国化はあまり現実的ではない。また、卒業して都市を出た者たちとの交流は続いているとした方が自然だ。
特に秘匿しておらず、外と交流がある場合、学園都市なので表立って敵対するようなことはないかもしれない。しかし、別の地域にも学園都市があればライバル関係にあってもいいだろう。

技術	
インフラ	
交通手段	
道路等、交通路の整備	
建築	
機械技術	
科学	
医療	
独自の技術	

飲食	
獲れる食べ物	
調理法	

他の地域・組織との関係	
近い地域（　　　）	
同盟（　　　）	
敵対（　　　）	
交流（　　　）	
その他（　　　）	

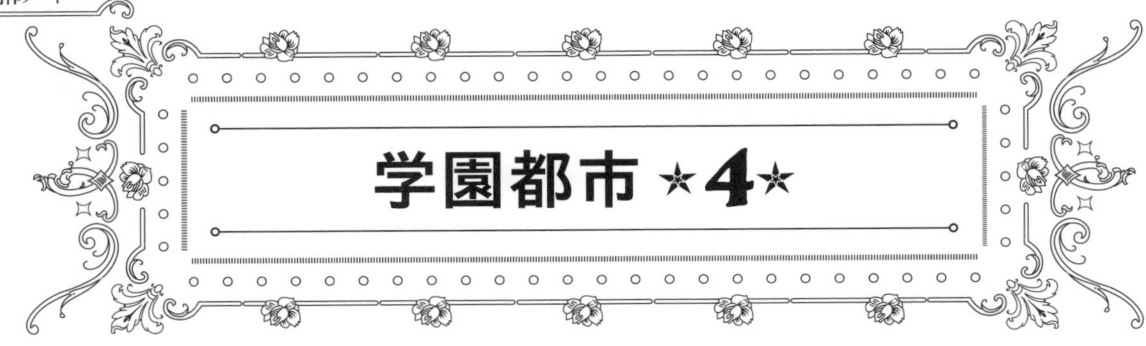

学園都市 ★4★

経済、学生の生活

この項目はセットで考えた方がわかりやすい。ようするに「学生はどのようにして金銭を得て生活しているか」だ。
まず、学園都市の中での経済はどうなっているか。秘匿されているのなら都市の中で完結させなければならない。都市だけで使える通貨を作ってもいいだろう。
学業の傍らで働き金銭を得て、必要なものや好きなものを買う。予め払い込む学費の中に寮の家賃や食費は組み込まれていて、最低限の生活はできていた方が良い。そうでないと肝心の学業に身を入れることができないからだ。

学生たちの仕事

好きなことをしながら生活するには、大抵の場合仕事をしなくてはならない。これは現代のアルバイトと同じ感覚だと思っていいだろう。実家から仕送りがあれば働かなくてもいいかもしれないし、学生時代を謳歌したいなら遊ぶためのお金欲しさに働くことになる。
学生たちはどんな仕事をしているのか、いくつかパターンを用意したい。商店の店員、サービス業務、学生たちで運営をしているのならインフラ整備も自分たちで行っていそうだ。学則と同じく、ちょっと変わった仕事を登場させるのも面白い。

慣習

主に学生たちだけで都市を運営し、生活する。現実ではなかなかありえないので想像が難しいかもしれないが、そんな環境になったらどんな慣習があるだろうか。
学生らしく、事あるごとに行事を催すのはどうだろうか。大会を開催し、優勝すれば都市の通貨や優遇制度を受けられるといったものだ。学生たちには勉学の励みになるだろうし、創作の面でもイベントを起こしやすくなる。
他にも「授業中にこっそり手紙のやり取りを行う」「イベント時にはカップルができやすい」など、学生ならではの慣習があっても面白い。

市民性

滞りなく学生生活を送るため、集団の中での過ごし方に焦点が当たるだろう。
「協力し合う」「話し合いで解決する」「解決しない場合は対決して決める」といった価値観が共有されていそうだ。
一方で、「堂々と授業をサボったら一人前」「ちょっとくらい悪いことをしてもバレなければ大丈夫」と、学生らしいお茶目な考え方も都市での常識になっているかもしれない。
マイナス面からも目をそらしてはならない。精神が未熟な子どもたちが集まっているのだから、人間関係における陰険な考えを持つ者もいるだろう。
そういった思想を前面に押し出すのは作品の雰囲気を壊しかねないが、キャラクターのひとりにそういった側面を持たせたりすると、リアリティが出る。物語のエピソードを作る際にも幅が広がるだろう。

経済	
学生の生活	
学生たちの仕事	

文化	
慣習	
市民性	

都市・学校の歴史	

都市・学校の歴史

都市と学校はどのようにしてできたのか。都市が起こり、学校が生まれたのか。学校が発展し都市に拡大したのか。なにより、どうして学生が自治をするようになったのか。
学校ならば創設者がいるはずだ。彼／彼女がどんな目的で学校や都市を作り上げたのか、その歴史を考えよう。

どんな施設があるか

都市というからには、ある程度の施設が揃っているべきだ。学校や研究機関はどれくらいの規模で、どんな施設があるのか。学生が生活に必要な商店やサービスはどれほど充実しているのか。
自分がその都市で生活をするならどんな施設が欲しいかを思い浮かべながら書き込んでみよう。作品にすべてが登場するわけではないが、作者の中で都市のイメージがしっかりでき、リアリティのある描写をすることができる。

問題・課題・懸念

精神が未熟な学生が自治をするならどうしても運営に粗が出るかもしれない。また、現実の生徒会のように運営のメンバーが一年ごとに変わることになる。そうなると安定感に欠け、「前年の運営はしっかりしていたが、今年の運営はポンコツだ」なんてことがありえる。
学校の方にも目を向けたい。ここ数年は才能のある学生が集まらない、授業が厳しすぎて都市から逃げ出す学生がいる、退学率が高いといった、現実でもありえる問題が起きていてもおかしくはない。これらの問題は普通大人が解決にあたるものだが、学生たちだけではどうなるか。
大人に縛られない楽園のような都市は、頭を悩ませることだらけかもしれないのだ。

都市の生まれる場所

都市は人と物と情報が集まる場所だ。それによって出会いがあったり、他では見られない技術や道具・物品やサービスがあったり、特殊な職業や立場の人がいたりする。物語の中で特別な事件を起こすのに相応しい場所でもある。
では、そんな都市が作られやすい場所があるのだろうか。実はある。まず、人が集まりやすい場所だ。大きな道の傍や、湖や川のほとり、港が作れる海岸などは移動に便利で、自然と人が集まりやすい。道と道が交差する場所にまず市場が立ち、その周りに家が増えて、都市になっていくのもよくあることだ。また、高名な寺院や聖地なども人を引き寄せ、自然と都市を形成する力がある。
安全も重要な要素だ。強力な領主が治めていたり、高い壁に守られていたり、山や森のような自然の守りを備えている場所には人が集まる。特に近代以前の世界では野獣や無法者などに襲われる危険が常にあり、多くの人々が自分の命や財産を守れる場所で安定した暮らしがしたいと考えていた。

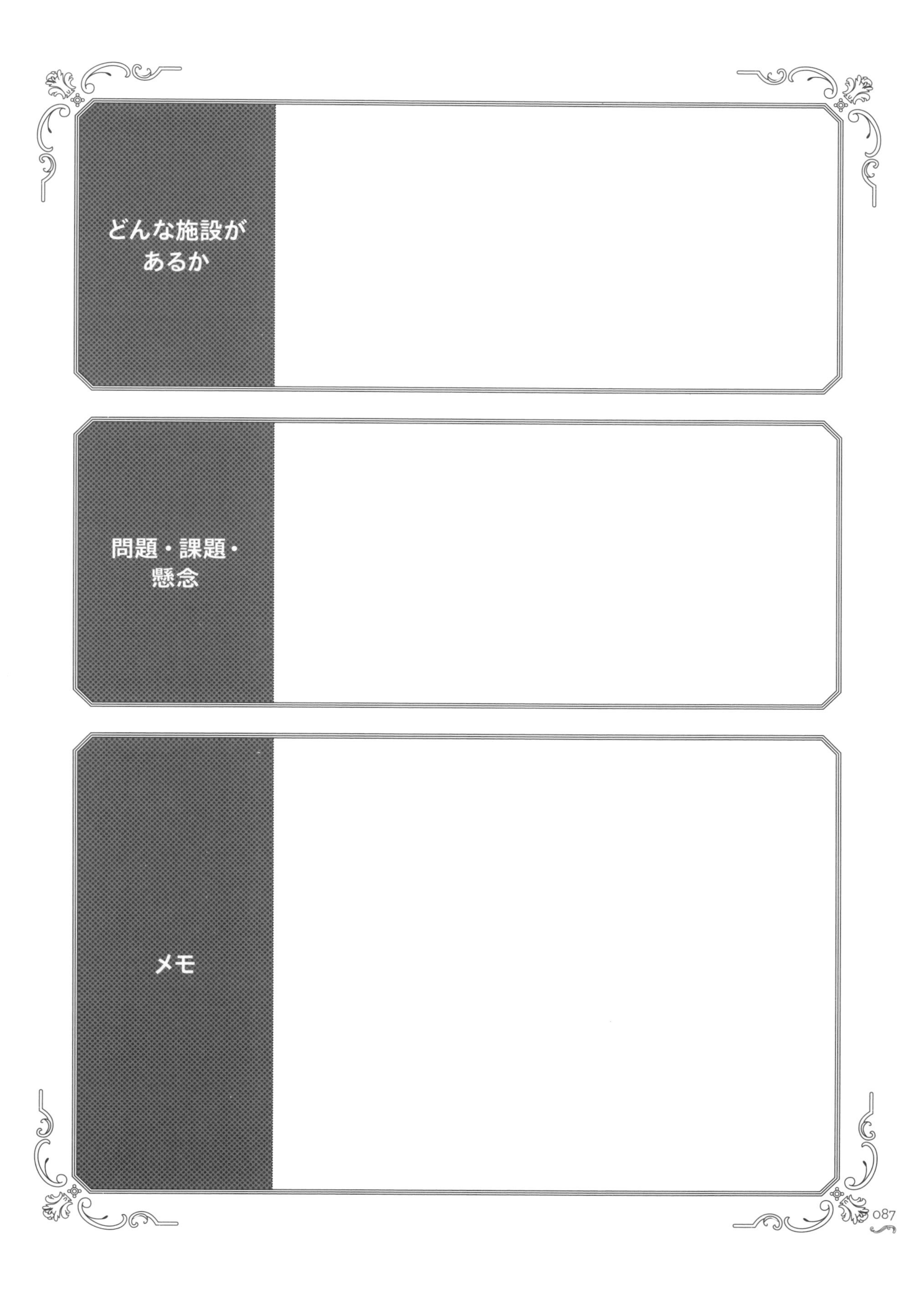
どんな施設が
あるか
問題・課題・
懸念
メモ

神話のエンターテインメント性

私たちが書こうとするエンターテインメント小説のご先祖的な存在として、各地に古くより伝わる「神話」がある。神話は人々が世界のあり方を理解するためのものだったろう。世界はなぜ始まったのか、この世に生きるものはどのように生まれたのか……そういった疑問を神話が神々の行いとして説明してくれるわけだ。
一方で、神話はエンターテインメントでもあった。英雄が怪物を倒し、美しい女性を得るような物語に、人々は熱狂した。いや、それどころか現在の私たちも、神々の物語に親しんでいるのである。
神話の登場人物たちは現代のエンターテインメントにもたびたび現れ、武器や技の名前に用いられたり、物語のモチーフにされたりもする。

★多彩で壮大な神話たち★

なぜ神話はエンターテインメントのネタ元に使われるのだろうか。
まず、世界各地に魅力的な神話が多数存在するため、ネタ元として多彩だ。
人間臭く個性的な神々が次々登場するギリシャ神話に、オーディンの槍グングニルやトールの槌ミョルニルといった必殺武器がよく知られた北欧神話。クー・フーリンやフィン・マックールといった英雄の活躍に彩られたケルト神話に、激しい戦争の物語が印象的なインド神話もある。スケールで言えばキリスト教などの聖書に記された神の罰や黙示録も凄まじい。そしてもちろん、日本にも『古事記』『日本書紀』に記された日本神話がある。9ページで紹介した国生みや、スサノオ・オオクニヌシ・ヤマトタケルといった英雄たちの活躍は有名だ。
世界中の人々が長い年月をかけて積み重ねてきたこれらの物語は実にバラエティーに富んでいて、活用しない手はない。
加えて、神話にはスケールの大きな事件が珍しくない。世界の誕生や終末などを描く物語が多いうえ、人間には手の出せない巨大な自然現象(落雷や台風、洪水など)を神と重ねたせいもあるのだろうが、大事件が起きる。壮大な物語を書きたいなら、ぜひ神話を参考にするべきだ。

★神話と現代のギャップ★

一方で、神話にはちょっと注意したい側面もある。作られた時代が古いだけに、そのまま現代に持ってくるのは難しいのだ。ストーリー面で現代人の価値観と合致しないだけでなく、世界観設定という本書の主題の面においてでもある。
神話的世界観は合理性に欠けていたり、あるいはハッタリのために景気の良い数字がついていたりするケースがあって、現代人にはのみ込みにくい設定が多いのだ。
だから、神話からは武器や怪物などのエッセンスだけを取り入れたり、あるいは「あまりにも神話的で違和感があるけれど、あえて幻想的な雰囲気を出すためにこの設定を使おう」など取捨選択をしよう。

第3章

創作ノート サンプル

5つの世界パターンのサンプルを用意した。
それぞれ個性的な世界になるように工夫し、
その個性に合わせたり矛盾しないような設定にしている。
どんな世界を作ればいいのか参考にしてほしい。

異世界ファンタジー

モチーフは中世末期のスイス。神聖ローマ帝国、ハプスブルク家の支配から独立しようとしていた時期のイメージだ。そこに「魔石」という設定を用意してファンタジー色を出しつつ、支配へ反抗する理由にも繋げた。また舞台を東西を隔てる山にすることでいろいろな文化を出せるようにもし、交易ルートということで多様なキャラクターも登場させられる。こうして複雑な展開にも対応できるようにした。

近未来

近未来ものは今ある技術や社会問題を広げていった方が面白くなる。そして今ならソーシャルディスタンスを使わない手はない。しかし病気が原因では発想が単純すぎるので、できるならもう一捻りしたい。
そこでフェロモンを使い、「人の心を操作することは許されるのか?」「しかしあまりに警戒しすぎては交流がなくなるのでは?」とテーマを掘り下げられるようにした。

現代ファンタジー

単に魔法がある現代では面白くならないと考え、「異世界からの侵略」という設定を考えた。モチーフはアニメや特撮とも関係が深く、めちゃくちゃになっても受け入れられる土台があると考えて東京都練馬区を選んだ。図太く生きる人々をイメージしたが、変わってしまった日常に悩み苦しむ展開にもできるだろう。

遠未来

遠未来だからSF的にスケールの大きな世界にしたい。しかし、単にスペースオペラ的世界よりも面白みのあるものにもしたい。そこで「テーマパーク」という発想が思い浮かんだ。
このようなパターンでは「廃れた場所」や「文明が滅んだあと」にすることが多いが、あえて現役の場所にした。そうすることで「人間そっくりの生命を用いることの倫理的問題」というテーマが描けるからだ。

学園都市

せっかくの学園都市だから、「なるべく生徒たちだけで運営できる場所にしたい」と考えたのが最初の発想だ。しかし生徒=子どもではどうしても限界がある。ならばロボットがあればいいのでは? そのような発想のもとに「巨大ロボットの学校」となった。
また、せっかくだからちょっとファンタジックな雰囲気も混ぜ込みたかったので、都市のある場所に秘密も設定してみた。独特の味が出たかと思う。

ベースの国	ヨーロッパ（特にスイス）
時代	中世末期

どんなファンタジー要素があるか

魔法があり、モンスターがいる。この世界の魔法はあまねく存在するマナに働きかけることで特別な現象を起こすもの。
モンスターはマナが偏ることで生まれ、魔法も効くが、物質化しているので普通の武器でも倒せる。人間にとってのモンスターは「厄介だが、退治できれば魔石が収穫できる野生の獣」的な扱い。
マナを扱う効率と最大量は才能に左右されるが、マナが結晶化した「魔石」を消費することで才能がなくともある程度の魔法を使うことできる。
十分な魔石とそれを使いこなせる魔法使いの数を揃えれば、土地を大規模に開墾して広大な畑を作ったり、鉄鉱石から大量の武器を作り上げるなど、国力を増強することが可能だ。もちろん、戦争でも役に立つ。結果として、国内で魔石の鉱脈が見つかった小国が一気に勢力を拡大したり、逆に魔石が枯れたという噂が流れただけで国内の情勢が不安定になるようなことも珍しくない。特に近年では魔石をエネルギー源にした魔石機械の発明・普及が進んでおり、良質かつ大量の魔石を誰が握るかによって地域の命運が左右されかねない情勢となっている。
そのため、各国は魔石の鉱脈を探し求め、またその位置を隠そうとしている

国名	ブラン自治区
どれくらいの広さか	4万平方キロメートル（史実のスイスとほぼ同じ）
人口	200万人前後

異世界ファンタジー ★2★

地形	大陸の中央部と東部の間に横たわるブラン山脈とその周辺地域で、古くからの交通の要衝
気候	非常に寒冷で積雪も多い

宗教・信仰	ブランの山々を神格化する古代の信仰もあったが、現在は大陸で広く信仰されている一神教が支配的

国民の階級	自治区内で身分の差はないが、宗主国であるゲール帝国の人間が実質的な貴族階級になっている
政治	自治区の中に7つの州があり、それぞれを有力者が合議的に運営している。しかし彼らに与えられた自治権は非常に弱く、各州に派遣された帝国の監督官の顔色を窺わざるを得ないのが実際のところ

他の国・地域との関係	
隣国 （　　　　）	西に向かってはゲールとスパーダ、東は諸国連合と隣接
同盟 （ゲール）	実質的な宗主国、支配者
敵対 （スパーダ）	ゲール帝国のライバルで、利権をめぐりたびたび侵入する
交流 （東方地域）	交易で関係のある諸国連合から、密かな支援がある
その他 （　　　　）	自然発生するモンスターが他の地域より多く、人々を苦しめる

技術	
電気	なし（魔石機械が一部代替）
水道	なし
ガス	なし（魔石機械が一部代替）
交通手段	馬や馬車。ごく一部に魔石を利用した車や列車、飛行機械も出つつある
道路等、交通路の整備	大きな道はかなりしっかり整備され、モンスター対策もされている
建築	石造り
機械技術	魔石のおかげで一部は近世レベルに
科学	基本的には中世レベル
医療	魔法治療はかなり高度だが、高価で希少

飲食	
獲れる食べ物	小麦やキノコの栽培、及び牧畜が盛ん
調理法	生活が厳しいため素朴なものが主

言語	ゲール帝国語がほぼ浸透
識字率	かなり低い
教育制度	一般的にはほぼなし。親か親方から職業訓練を受ける（魔法使いもある種の技術者化している）くらい。高度な教育を求める者は他地域へ留学する

異世界ファンタジー★4★

経済	東西を結ぶ道の近辺は古くから交易で栄えてきた。しかし道から離れた地域は人口も少なく、経済も発達していない
産業	古来、最も主要な産業だったのは東西を繋ぐ交易。鉱山も重要な産業だったが、山岳地帯が主で大規模な開発は難しかった。近年になって山岳地帯で魔石の鉱脈が見つかり、帝国の主導で大規模開発が進んでいる。しかしその収益は多くが帝国のものになり、自治区の人々は強制労働に駆り出されることが多い
主な働き口	街道の宿場町と鉱山が主。農業と牧畜は各集落で小規模にやっている。命知らずは街道や集落を襲うモンスター退治の仕事に従事する

文化	
風習	大陸中央のもの（ヨーロッパ風）と東方のもの（アジア風）のミックス。特に金持ちなら中央のワインと東方の香辛料を楽しむような贅沢な暮らしをしている
国民性	本来的には狭い地域ごとにまとまって暮らしている人が多いので、孤立性が高い民族。しかし、近年は反帝国で民族全体でまとまろうという意識が強くなりつつある

国の歴史	古代より、この地域にまとまった国家が成立したことはない。山の中のある程度開かれた場所に集落が点在し、東西を結ぶ道に沿って大きな街も誕生したが、統一国家にはならなかった。その代わりに緩やかな連合体があり、各時代ごとに存在した周辺の有力な国家に臣従していたのである。 しかし現在の宗主国にあたるゲール帝国は東方諸国との交易の利益を求めて前例にない締め付けを行い、それが魔石鉱脈の発見によって加速した結果、各地に反帝国勢力を生み出すに至っている

特色	世界の特色は「魔法があり、しかも魔石によって支えられている」こと。地域の特色は「山がちで、２つの大きな地域の間にあり、強大な国家に支配されている」こと。このふたつの要素が重なった結果、「魔石を生産するために酷使される人々の反抗」という物語が浮かび上がってくる
問題・課題・懸念	最大の問題はゲール帝国の支配。帝国は周辺地域最大の国家であり、しかもブラン自治区から得られる利益は大きいので、現地の人々が望んでも独立は簡単ではない。 もうひとつの問題として、自治区の人々はけっして一枚岩ではない。それぞれに独立の気風があるし、中央の影響が強いヨーロッパ的な人もいれば、東方の影響が強いアジア的な人もいる。別の国の助けを得ようとしている人もいれば、あくまで自治区の力だけで戦い抜こうとしている人もいる
メモ （これまでの項目以外になにかあれば書き込もう）	この設定の段階ではまだ「この世界の魔法がどんなものなのか」「魔石はどんなふうに使うのか」「魔石を用いた科学や機械はどんなものか」を具体的に決めていない。実際に書くにはちゃんとディテールを詰めないと面白くならなそうだ。 また、魔石は現実の歴史における石油や石炭をモチーフにしている。細かい設定をよりリアルにしたり、作中の描写を丁寧にしたかったら、それら史実のエネルギー源の歴史もきちんと調べたほうが良さそうだ

ベースの国	現代日本

なにが変わっているか（どれだけ技術が発展しているか／退化したか）

50年後、人類はフェロモンで他者の感情を操れるようになっていた（地球環境の変化で虫や獣に襲われるようになり、対策として進化した）。
操作できるのは「好き」「嫌い」や「怒る」「悲しむ」の感情くらいで、人間相手には大きな影響は出ないが、過敏に恐れる人が多くなり、「人間にフェロモンで影響を与えるのは失礼」「フェロモンの届かない距離で生まれた関係こそ真の人間関係」という価値観が広まってしまった。その結果、コミュニケーションはインターネットが主になる。
人々が外に出る時はフェロモンを防ぐマスクや対フェロモンスーツを身に着けるようになった。
その他、社会情勢や技術などは時間相応の変化はあっても、劇的な変化は起きていないこととする。ロボットや人工知能が普及したりはしたが、人類が宇宙へ進出したりはしていない。あくまで世界設定の軸にあるのは「人類はフェロモンを獲得したせいで対面でのコミュニケーションをあまりしなくなった」「そのせいで社会にも少なからず変化があった」であって、近未来のすごい技術、というところは世界設定のメインにしない。
日本、アメリカ、中国、ヨーロッパといった主要国もそのままにすることで読者の目がテーマからズレないようにし、読者にも親しみがあるようにする

国名	日本
どれくらいの広さか	変わらず
人口	8000万人（少子化が進んだ）

地形	同じ。ただ、東京も含めて各都市の人口が減り、密集度も減った
気候	より亜熱帯に近くなり、ゲリラ豪雨などもたびたび

宗教・信仰	現実の日本と同じく神道・仏教・キリスト教など多様

国民の階級	現実の日本と同じく法律上存在しない。ただ、どうしてもリモートができない職業や貧困層が差別の対象に
政治	現実の日本と同じく民主主義。選挙などあらゆる行政手続きはオンラインでできるようになった

他の国・地域との関係	
隣国 （　　　）	ゆるやかに友好的な国と敵対的な国がある
同盟 （　　　）	日米同盟ほか友好関係はおおむね健在
敵対 （　　　）	フェロモンを支配に用いる一部国家とは敵対
交流 （　　　）	政治も経済もリモート会談が主流に
その他 （　　　）	

近未来★3★

技術	
インフラ	大きくは変わらず。インターネット環境は充実
交通手段	電車や飛行機、バスなどは衰退。自家用車やタクシーは健在
道路等、交通路の整備	出かける必要のある人のために自動車道路は健在
建築	クリーンルームや個室が充実
機械技術	テレイグジスタンス（遠隔存在）などロボット技術が進歩
科学	進歩はあるが、人と人とのコミュニケーションが減ったせいか予想されたほどの進歩は見られない
医療	フェロモン抑制剤の研究が進む＆運動が減って生活習慣病も課題に
その他	フェロモンを自在に操る技術をオカルト方面に求める人もいる

飲食	
獲れる食べ物	フェロモンの効果で家畜の繁殖が盛んになっている。 一方でそれは動物虐待だと責める声もある
調理法	現在と大きく変わらない

言語	日本語のまま（フェロモンの応用で簡単な意思疎通はできる）
教育制度	リモート授業、ヴァーチャル空間での授業が充実するように

近未来 ⋆4⋆

経済	団塊の世代や団塊ジュニア世代といった人口のボリュームゾーンの世代が亡くなった結果、人口が減って経済規模は小さくなった。しかし、人口における年齢バランスは取れて高齢化問題が落ち着いたので、経済は安定した
産業	小規模な商店や店舗型の飲食店は減少。観光業はリモートにシフト
主な働き口	リモートワーク化が加速。エッセンシャルワークについても遠隔操作ロボットが使われるようになっている

文化	
風習・現在の流行	人と接する機会が減りリアルなファッションは衰退したが、ヴァーチャル世界でより独創的なファッションが模索されるようになっている
国民性	現代日本人と大きくは変わらないが、人と接すること、自分の内面をあからさまにすることを恐れる人が増えた

国の歴史	20年ほど害虫や害獣の襲来が続いたあとに被害が減り、研究の結果としてフェロモン体質の若者が増加していることがわかった。作中の現在ではフェロモン体質を持たないものはほとんどいない

近未来★5★

特色	人間がフェロモンによって感情を操作できる（思考まではコントロールできない。命令はできない）こと、距離を取れば効き目が劇的に減るのでソーシャルディスタンスが徹底していること
問題・課題・懸念	直のコミュニケーションが減った結果として、社会そのものの活力が減っているのではないかと疑われている。このまま人類社会は滅びるのか、それとも新しい世界を切り開くのか
メモ	特別に強力なフェロモンの持ち主や、逆に一切出さないが他人のフェロモンに全く影響されない人もいる。 このあたりの設定を使えばバトルもの、能力ものなどに使用することもできる設定。しかしとりあえずサンプルとしては、青春ものや職業ものなどをちょっとだけ不思議な設定によって彩るためのSF世界として設定するに留める

ベースの国	現代日本（東京都練馬区）

現存する現代となにが違うのか

現在、地球は異世界からの侵略を受けている。それも複数の世界からだ。にもかかわらずその攻撃はごく小規模に抑えられている。
各世界は勢力範囲の拡大、枯渇したエネルギーの補充、新技術の獲得、移住などさまざまな事情から地球に目をつけ、侵略を開始しようとした。しかし地球と彼らの世界では物理法則が違いすぎて十分な活動を行うことができなかった。そこで各世界が手を組み、ある場所の法則を書き換えて活動可能にした。それが日本の東京・練馬である。
練馬を舞台に異世界勢力の攻撃が始まったが、地球側も黙ってはいなかった。各国は異世界のテクノロジーを解析し、あるいはもともと特殊な法則（魔法）の使い手だった人物を派遣し、練馬で激しい戦いを繰り広げたのである。そして練馬の住人たちは意外とこの状況に順応した。
結果として世界は侵略を受けて危険な状況ではあるけれど、新しい技術や価値観が流れ込んだり、状況の変化に商機や成り上がりのチャンスを見出す人もいて、全般的に活気が生まれるようになっている

国名	練馬区（都市名）
どれくらいの広さか	本来は現実の練馬区と同じだが、一部は時空が歪んでいる
人口	80万人（出る人も多いが入る人も多いので若干増加）

地形	東京都23区のひとつ、練馬区のまま
気候	基本的には四季があって元のままだが、ときおり異常気象も

宗教・信仰	従来の宗教に加えて侵略してきた世界の宗教を受け入れる者も

国民の身分	本来の住民たちは日本国民のまま（異世界の影響を受けて姿形が変化した者もいるが、国籍が認められている）で、友好的な異世界人は外国人としての権利が認められている。異世界に捕らえられて奴隷にされたり、異世界側に寝返ってそちらの市民になった者も
政治・法律	法律的には「東京都練馬区」のままで、日本による統治が続いている。法律もそのまま。 しかし区内のあちこちには異世界側の各勢力の影響が強い場所があり、そこは異世界の領地となって、日本の支配力が及んでいない。このような混乱状態なので、逃げ込んでくる犯罪者もいる

他の国・地域との関係	
隣国（異世界諸国）	実は必ずしも敵対とは限らない
同盟（　　　）	異世界の侵略を警告した亡命者たち
敵対（　　　）	侵略国家
交流（　　　）	取引を求める者
その他（地球の国家）	密かにスパイを送り込む国も

技術	
インフラ	おおむね現代のまま
交通手段	従来のものに加えて、馬や恐竜、飛行機械など異世界由来のものも使われる
道路等、交通路の整備	戦いの結果壊れたりもするがだいたいすぐに整備される
建築	異世界由来の不思議な建物や異常なスピードでの修復技術が普及した
機械技術	独自の機械技術を持つ世界からの影響も入ってきている
科学	魔法と融合した科学がもたらされて研究が進んでいる
医療	回復魔法のおかげで重傷（症）者治療は他の地域よりも有効
FT設定による技術	魔法、魔法と融合した科学、人型ロボ、家畜としての恐竜など、各世界の技術がもたらされ、人々の生活の中に溶け込んできている

飲食	
獲れる食べ物	もともとあった畑が広がって、異世界由来の作物（中には植物なのに勝手に動き出すものも！）を中心に栽培している
調理法	調理法は地球のものが高く評価され、地球料理に魅了された異世界人も多い

言語	日本語のまま
教育制度	おおむね日本のまま。ただ、友好的な異世界人や姿が変わってしまった地球人を受け入れるために小規模クラスなど柔軟な運用が行われるようになった

経済	おおむね日本のまま
産業	従来のものに加え、異世界由来の産物を生産したり、独自技術を研究したり。練馬以外では機能しないものも多いので自然とそれらが中心になる
主な働き口	基本的には日本のままだが、特殊な能力や技術を活かして異世界の侵略者と戦ったり、その後始末を行う仕事がある

文化	
風習・現在の流行	異世界由来のファッションやゲームなどがしょっちゅう流行している
国民性	日本人本来のものをベースに、多くの住民が図太くなっているのが現状。異世界人の攻撃が始まれば避難するし、終わればまた生活を始める。異世界人とも相手が攻撃的でなければ普通に付き合う

国の歴史	3年前に異世界による侵略が始まり、当初は混乱もあったが、膠着状態になって日常化してしまった。 日本側としては練馬から得られるメリットも大きいし大規模な戦争もしたくないので「なあなあ」で済ませたいと考えている。 一般市民は少なからず逃げ出したが、落ち着いてみるとそんなに多大な被害が出るわけではない（異世界の侵略は互いの戦力の関係上多くの場合限定的であり、互いの代表者による小規模戦闘がほとんど）し、法則が変わったせいでここでしかできない研究などが増えて仕事がたくさんあるので、残った者や入ってくる者も多い。国としても事を大袈裟にしたくないので無理な避難は勧めていない

現代ファンタジー★5★

特色	現代日本をベースに、いろいろな文明や価値観が入り混じっていること
問題・課題・懸念	全体的に残った人々のメンタリティはタフだし、膠着状態になっているとはいえ侵略・戦闘は続いているので、被害者も少なからず出ているし、現状を問題と考えている人は多数存在する。そもそも侵略者側は硬直状態を良しとしておらず、他地域への侵略あるいは練馬の破壊などを考えている者もいる
メモ	主要な侵略者は以下のようなものを考えている。 アルカラ帝国（科学と魔法を融合させた侵略国家） ドラガーン（恐竜と共存した野生人たち。故郷を救う手段を探している） ドールズ（本来の主人を皆殺しにした暴走機械） エスパーダ（既に故郷の世界を失った放浪の剣士たち） ケンエンテクノロジー（敵対関係にある地球とも取引する商業国家）

ベース	中世〜近世ヨーロッパおよびテーマパーク

舞台の詳細

遠い未来、地球人類は宇宙へ進出し、複数の異星人と接触。大規模な星間連盟の一員として活動している。この時代の地球人たちが得意分野としたのがエンタメで、特にファンタジーを題材にしたものが大いにウケた。地球人といえばファンタジーというくらいである。
そして、地球発祥の大企業が会社の命運をかけて開いた巨大リゾート＆テーマパークが「ファンタジーランド」である。ある星の大きめな島ひとつ丸ごとをファンタジー風世界に作り替えてしまったのだ。
そこで暮らすのは繁殖可能な生体ロボットたちであり、彼らは自分たちが見せ物として生きているのだとは考えたこともない。作物を育て、モンスターに怯え、恋をして、子どもを作り、そして死ぬ。普通の生き物にしか見えない。
ファンタジーランドは開園して300年あまり。今でも宇宙の各地からファンがやってきては冒険を楽しんでいく。現地住民たちはそんなことを知りもしない。
以上のように、SFでもありファンタジーでもある、微妙なところにある世界設定だ。SF側（ファンタジーランド運営会社）とファンタジー側（島に住むものたち）は相互に関係しあっているが、一方で別の世界の住民でもある

名前	アルテマ島（ファンタジーランド）
どれくらいの広さか	日本の本州と同じくらい
人口	500万人

遠未来★2★

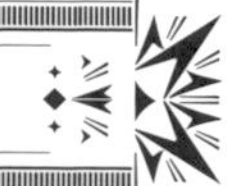

地形	少し歪んだ円形の島。その中に山あり、谷あり、草原あり、森あり、沼地あり、大きな川あり……とあらゆる地形が存在する。気候も島の中で結構違いがある（冒険を盛り上げるため）
周囲の環境	島の住人たちは海の向こうには何もないと信じている。実際にはこの星は星間連盟に所属する星のひとつであり、海の向こうに都市がある。この島はエネルギーフィールドに囲われていて向こう側は見えないし、通り抜けることもできない

宗教・信仰	善神と悪神が対立し続けている……という神話を持つ多神教が信仰されている。神の名前はファンタジーランドを開いた時の主要な社員の名前から取られている。長命な種族出身者の中にはまだ生きて運営にたずさわっている者も

国民の階級／身分	島は王国によって統治され、貴族もいる。人間と敵対する種族として魔族もいて、彼らにも王や貴族がいる。これとは別に「神使」と呼ばれる人々が密かに活動しているが、その正体はテーマパークの管理者で、客が危険な目に遭わないように見張っている
統治・運営	ファンタジー世界としての島は人間の王国と魔族の王国が争っている。島内のそれぞれの勢力をお互いに統治する形だ。 一方、テーマパークとしての島は運営会社によって統治されている。年間何百万人の客を島内に送り込み、安全に「リアル」な冒険を楽しませ、無事に帰す。また、島の人間たちが真実に気づいたり発展しすぎたりしないようにもしている

他の地域との関係	
近い地域（島の外）	運営会社の特別な移動手段（地下トンネル）でしか行き来できない
同盟（　　）	特になし
敵対（　　）	人間の王国と魔族の王国は戦争中
交流（　　）	特になし
その他（運営）	島の全ては運営会社によってコントロールされている

遠未来★3★

技術	
電気	島にはなし
水道	古代ローマ帝国風のものが整備
ガス	島にはなし
移動手段	徒歩と馬が基本だが、魔法のワープゲートもある（技術そのものは遠未来の進んだテクノロジーによるもの）
交通路の開拓・整備	古代ローマ帝国風のしっかり整備された道が通っている
建築	中世〜近世ヨーロッパ風の建物が主だが、客のための近未来的な建物もある（現地の人間たちは不思議に思わない）
機械技術	中世〜近世レベル。ただし島の外は遠未来レベル
科学	島の外はワープ、核融合、クローンなど、非常に進んだ科学技術がある
医療	回復魔法が普及している
独自の技術	「魔法」がある。その正体は遠未来の進んだ科学技術で、炎を出したり、無から有を生み出したりする。設定上、魔法は神に与えられた道具を使って発動するが、テーマパークの客は最高レベルの道具を与えられる

飲食	
取れる食べ物	地球由来から異星由来まで多種多様
調理法	こちらも地球由来から異星由来まで多種多様

言語	島の住人も宇宙共通語で喋る
教育制度	少し不自然だがあえて学校があり、客たちはファンタジー世界の学校の生徒としても過ごすことができる

遠未来 ★4★

経済	中世〜近世ヨーロッパのもの程度
産業	中世〜近世ヨーロッパのもの程度
主な仕事	農業、商業、職人など。また、職人や商人には突然の弟子希望を受け入れる文化がある（客が体験できるように）

文化	
風習	中世〜近世ヨーロッパを再現しつつ、外の世界の人間にだけわかるパロディなどが密かにあったりする
市民性	島の人間たちはおおむね穏やかでホスピタリティがある。 一方、外の人間たちは現代の私たちから少しズレた価値観を持っている（実際、人工的に作られた人間たちの世界で冒険することにさほどの罪悪感は持っていないし、ペット程度に見ている者も多い）。必ずしも差別的というわけではなく、姿が違う多様な種族が共存できているという実態もある

舞台の歴史	1000年にわたって人間と魔族が争っている……というのが島の住人たちの信じる歴史。実際には島が作られたのは300年前で、700年の歴史は捏造されたものである

特色	遠未来のテクノロジーで作られたファンタジー風世界であること。この世界におけるあらゆるファンタジックな事情（魔法だったりモンスターだったり特別な自然現象だったり）はすべてSF的な科学によって説明がつく。 逆に言えば未来テクノロジーで説明できない不思議な現象（本物の神など）はいないものとする
問題・課題・懸念	問題が２つある。 まず、島の中に真実に気づき始めている者が現れていること。それから、ファンタジーランドの人気が落ちて経営が傾き始めていること。 運営会社が破産したり、なにか島で大きな問題が起きたりした場合は、島そのものを破壊する計画になっている（遠未来世界の法律で、彼らは人間ではないから島ごと皆殺しにしても問題にはならない）
メモ	具体的なテーマパークの仕組みやイベント、やってくる客の例、イベントなどをもっと考えたい。 更に並行して島の歴史も考えて、２つの年表が影響を与え合いながら存在するようにするともっと面白くなるだろう。島側からすると世界の危機でも、テーマパーク側からするとマンネリになりつつあるイベントだったりする。 あるいは、設定をもっと複雑にする手もある。この世界には「本物の奇跡や魔法」はないものとしているが、実は島の中にある作り物のファンタジー要素に紛れて、「本物」が存在してもいいかもしれない

なんの学校か	ロボット

学校の詳細

どういった土地か	街／**島**（○）／その他（　　　　）
通う学生	小学生／中学生／高校生／大学生／専門学生／**その他（高専生）**（○）
具体的になにを学ぶのか	10メートル級巨大ロボット（特機）の製造・整備・操縦
何年間通うのか	5年
入学条件	希望者なら誰でも。ただし受験難易度は高い
卒業条件	卒業試験も難易度が高く、留年して実質永住する者も多い
卒業後の主な進路	ロボットの製作企業、運用企業への就職。 公務員になる者も多い
学費	国連や特機関連企業の支援があるので非常に安い
特待生制度の有無	ある。だいたい講師と兼任

都市／学校名	涯（はて）の島特機高等専門学校
どれくらいの広さか	50平方キロメートル前後
人口	3万人（うち生徒1万人、講師と事務員500人、残りは現地住民）

地形	日本の伊豆諸島近辺に浮かぶ孤島
気候	亜熱帯気候で、たびたび台風もある

宗教・信仰	現地住民が独自の宗教（オビトさま）を持ち、学生の中でも感化された者はそれなりにいる

住民の階級	現代日本と同じ
統治	島そのものは東京都の自治体。 学校は国連の専門機関である「国際特機機関」の管理下にあり、地主が貸している土地に建っている形
学校と学生の関係	基本的には普通の学校だが、なんらかの危機的状態においては学校の指揮下に入る契約を結んでいる

学則	学則の大きな柱として「特機技術を許可なく持ち出さない」「立ち入り禁止地域に許可なく入らない」がある。 後者については特機が危険な存在であり、生徒の安全を守るためと説明されるが、なにかしら生徒から隠したい秘密があるのではと疑う者は多い

技術	
インフラ	現代日本の都市部並み
交通手段	バスと特機製造技術を応用した車やバイク
道路等、交通路の整備	学校内は都市部並みに整備
建築	学校は近未来的だが、本来の住民の地域は古来の建物
機械技術	特機関連技術を中心に20年は先へ進んでいる
科学	機械技術と同じく特機関連技術を中心に20年は先へ進んでいる
医療	特機による事故も多いので病院も充実
独自の技術	巨大ロボット＝特機

飲食	
獲れる食べ物	船便で運ばれてきつつ、基本的には自給自足。特機を用いた大規模農業や漁業も行っている。肉はどうしても値段が高くなり、魚ばかりの食事でうんざりしている生徒も多い
調理法	現代日本と同じ

他の地域・組織との関係	
近い地域（日本）	日本の一部だが、治外法権的な場所
同盟（　　　）	世界8ヶ所に同種の学校がある
敵対（　　　）	学校同士はライバル関係
交流（　　　）	学校同士での技術の交流も
その他（　　　）	現地住民は学校で潤う者も反感を持つ者もいて微妙な関係

学園都市 ⋆4⋆

経済	学校内の生活、経済活動は「学生がバイトで働いている企業」「学生が立ち上げた企業」によってかなりの部分まかなわれているので、学校がほぼ普通の都市になっている
学生の生活	学生の本分は授業……と言いつつ、授業外での実習や卒業制作としての特機制作、また操縦者のトーナメント試合などに取られる時間が多い
学生たちの仕事	バイトや本業で学校・都市運営に従事している学生は多い

文化	
風習	現地住民の間には独自の風習（宗教、お祭り。また現代科学を警戒する高齢者が多い）がある。 学生たちはほぼ現代そのままだが、ロボットアニメのファンが多い
市民性	現地住民は古き良き伝統を守りつつ、若い者の中には学生たちに感化されている者も少なくない。 学生たちは良くも悪くも「現代の若者」だが、こんなところにわざわざ来るようなチャレンジャー精神の持ち主が目立つ

都市・学校の歴史	20年ほど前に突如として出現した大型ロボット技術を学ぶ場所として、同時期に世界各地に開設された学校のひとつ。以来、数多くの技術者を輩出してきた。 島そのものは江戸時代に入植が始まったとされるが、それ以前から現地住民がいたのではないかという学説もあり、考古学の発掘調査も進んでいる

どんな施設があるか	現代の都市にあるものはおおむねある。成人した学生も相当数いるので歓楽街さえある。 また、学校の校舎とは別に実習のための広大なフィールドも確保されているが、普段立ち入り禁止の演習場の中に謎の古代遺跡があるという噂も絶えない
問題・課題・懸念	特機は世界中で普及しているが、「特定の場所（学校のある場所）とそれ以外では発揮されるスペックに差がある」という謎が指摘されている。学校外でも通常の重機や戦車などとは比べ物にならない性能だが、謎は謎……ということで、学校になにか秘密があるのではないかと言われている。 （実際この疑いは真実で、学校ある場所には古代の遺跡があり、特機はそこから発見された技術および今も発信されているエネルギーと深い関わりがある） また、学校と現地住民の間に密かな感情的対立（新しい者が入ってきたこと自体が気に食わない現地住民、一部の現地住民が利益を得ていることからの不和などがある）もあって、揉め事の種になりうる
メモ	実際の創作に使うのであれば、細かい授業やクラス分け、ロボットの種類など細かいところも設定しておきたい。 特にこの世界のロボットがどんな姿をしていて、なにができて、なにができないかについてはサンプル設定ではほとんど書けなかったが、細かく設定しておかないとロボット好きの読者の期待には応えられない

榎本秋

文芸評論家。各所で講師を務める一方、作家事務所を経営。主な著作に『ライトノベル新人賞の獲り方』(総合科学出版)、『エンタメ小説を書きたい人のための正しい日本語』(DBジャパン)など。
本名(福原俊彦)名義で時代小説も執筆。

鳥居彩音

書籍編集を得意とし、一方で執筆も行う。東放学園映画専門学校、専門学校日本マンガ芸術学院で講師を務める。著書に『つまらない絵と言われないための イラスト構図の考え方』(秀和システム)などがある。
入江棗名義で小説も執筆。

主要参考文献
「図解雑学　宗教」 井上順考著 (ナツメ社)
「宗教がわかる事典」 大島宏之著 (日本実業出版社)
『日本国語大辞典』(小学館)
『デジタル大辞泉』(小学館)

物語を作る人のための
世界観設定ノート

2021年5月25日　初版第1刷発行
2024年1月 6 日　　　第6刷発行

著者　鳥居彩音
監修　榎本秋
執筆協力　榎本海月(榎本事務所)
装丁・デザイン　小松洋子
校正　株式会社ぷれす
編集　関田理恵

発行人　三芳寛要
発行元　株式会社パイ インターナショナル
〒170-0005 東京都豊島区南大塚2-32-4
TEL 03-3944-3981　FAX 03-5395-4830
sales@pie.co.jp

印刷・製本　株式会社 光邦

ISBN978-4-7562-5365-1 C0076
Printed in Japan